Y CORN MAWR
A NODAU ERAILL

Gruffudd Parry

GWASG
DWYFOR

Argraffiad Cyntaf: Tachwedd 1991.

Cyhoeddwyd ac argraffwyd gan
Wasg Dwyfor, Pen-y-groes, Caernarfon.

ISBN: 1 870394 02 X

Diolch yn fawr

— am gefnogaeth nifer o bobl a fu'n gyfrifol am beri i gynnwys y gyfrol hon gael ei roi i lawr ar bapur.

— am ganiatad parod y BBC i gyhoeddi y cyfryw gynnwys.

— am hynawsedd a gofal Gwasg Dwyfor.

— am i Sian wneud clawr i'w dal efo'i gilydd.

— i Guto a Marian Roberts am eu cyson ofal.

I
Enid
fy chwaer-yng-nghyfraith.

Cynnwys

Llun: Chris Gregory, ©Radio Times

Y Corn Mawr

'Doedd Wmffra Ifas ddim wedi dod o dan ddylanwad y Diwygiad fel yr oedd y rhan fwyaf o bobol yr ardal. 'Tywallt yr Ysbryd Glân arnon ni, O! Arglwydd, fel jam', oedd deisyfiad gweddi un hen rebal oedd wedi cael ei achub o grafangau colledigaeth dragwyddol. 'Mae'n well gen i Di, O! Arglwydd na — phwdin reis', meddai un arall o'r dychweledigion. Nid oedd y fath ymfflamychu cyhoeddus erioed wedi cynhyrfu Wmffra Ifas a 'doedd y llifeiriant geiriol erioed wedi torri ar draethellau ei ddifaterwch. I Wmffra 'y nhw' oedd y dychweledigion, pan fyddai'n siarad efo pobol ddiarth, a 'y rhain' pan fyddai'n siarad efo'i gydnabod a'i gymdogion. Nid nad oedd o wedi trio ei orau, cofiwch chi. 'Roedd o ym Methesda pan oedd Ifan Robaits y Diwygiwr yno, ond 'doedd hwnnw wedi gwneud dim byd ond ista yn y pulpud a'i ben i lawr nes i rywun ddechrau gweiddi 'Haleliwia' hanner y ffordd i fyny'r llwybyr a'i chychwyn hi ar ei benna-gliniau ar hyd y pasej am y Sêt Fawr. Fu Wmffra ddim yn y capel ar ôl y noson honno, er bod bron bawb arall yn mynd: a'r gwair a'r ŷd a'r tatws yn cael eu hel at ei gilydd yr un fath yn union.

Un o'r rhai mwyaf ffyddlon yn yr odfeuon oedd Sam — Sam Corn Mawr — yr horwth wynepgoch hwnnw oedd wedi chwythu'r iwffoniym yn y Band am dros ugain mlynedd. Ond pan ddaeth y Diwygiad heibio, mi drawodd Sam ym mhlygiad ei forddwyd nes yr oedd o'n plygu fel peg dillad, ac mi aeth y Band a'r iwffoniym a'r canu yn gyfryngau'r Gŵr Drwg er dinistr y cadwedigion a thragwyddol anobaith cyfrgolledig ddefaid tŷ Israel.

"Mi ei yn ôl i'r Band eto pan fydd yr helynt 'ma drosodd?" meddai Wmffra Ifas wrth Sam un bora braf yn y chwarel pan oedd o'n pasio ar ei ffordd i'r efail.

"Nefar, Wmffra Ifas, 'dawn i'n llwgu. Mae O wedi gafal yn'a i — fel cranc. Pam? Be oedd gynnoch chi?"

"O dim byd. Hynny ydi — wel, dim ond meddwl tybad be fydd yn digwydd i'r corn?"

"Offerynnau'r fall Wmffra Ifas — pell y bo'n nhw. Be oedd gynnoch chi?"

'Roedd canu wedi bod yn nhoriad bogail Wmffra er pan oedd o'n ddim o beth, fel nad oedd ryfedd yn y byd iddo fo ateb, "Dim. Ond 'y mod i'n meddwl os oedd o'n debygol o dy dynnu di oddi ar y llwybyr, y baswn i'n mynd â fo adra."

"Bendith arnoch chi Wmffra Ifas," meddai Sam a gwên ostyngedig yn goleuo yn nghil ei lygad, "mae troeadau'i gorn gwddw fo fel plethiad y sarff yn Eden i mi erbyn hyn."

'Roedd hi'n rhaid symud dau sach a dwy gôt oel 'roedd Sam wedi eu lluchio i'r gongol rhwng y cloc a'r cwpwrdd gwydr ar gefn y corn er mwyn ceisio cuddio anweddustra ei ffurf. Ac mi ollyngodd ochenaid o ryddhad pan gydiodd Wmffra Ifas yn ei strap a'i godi ar ei gefn a mynd â fo adra.

Mi fuo'n hen smwc niwl a glaw mân am dridiau wedyn a'r corn yn segur rhwng y bwrdd a'r palis gan Wmffra, achos doedd wiw iddo feddwl am drio tiwn arno fo yn y tŷ a phen Lisi dest â hollti gan gur bob gyda'r nos nes ei bod hi'n gorfod aros gartra yn lle mynd i'r capel a thynnu'r bleind a gorwedd ar y soffa a hancas wedi ei gwasgu o ddŵr oer ar ei thalcen.

'Roedd hi'n well dydd Mercher, ac erbyn gyda'r nos 'roedd hi'n ddigon da i fynd i'r capel, a chyn bod pluen ei het hi wedi nodio ei hun o'r golwg yn nhro'r lôn bach yr oedd Wmffra wedi cael y corn i ganol y gegin ac yn rhedeg ei fysedd hyd lyfnder cordeddog ei droadau fel gloyn byw yn anwesu blodau'r haf. Fuo fo fawr o dro â chael y strap i'w le a chael ei wefusau yn erbyn y metal oer. Dim ond yr un fath â chornet oedd o o ran egwyddor ac fe ddaeth y dyddiau dedwydd pan oedd yntau yn canlyn y Band yn fyw i'w gof am funud.

Dim ond sŵn gwag fel sŵn gwynt mewn entri ddaeth o'r corn y tro cyntaf. A 'doedd yr ail a'r trydydd ddim llawer gwell — rhywbeth fel llo tarw yn dysgu brefu. Ond cyn bo hir dyma gael y gwefusau i'r siâp iawn a nodyn o'r corn nes bod y lle yn crynu, a'r llestri yn y cwpwrdd gwydyr yn tincian. 'Duwadd,' meddai Wmffra wrtho'i hun, 'mi ellwn neud damej i'r cotaij. Fydda well i mi fynd allan.' Ac allan â fo, y fo a'i gorn ac i ben y grisiau cerrig oedd yn mynd i lofft yr ŷd.

Lle braf oedd drws llofft yr ŷd, yn enwedig ar noson dawel fel hyn a'r wlad yn lliwiau i gyd i lawr at waelod y plwy a thros goed y Glyn i gyfeiriad y môr. Ac 'roedd y canllaw pren yn ffitio i'r dim i gynnal meingefn dyn oedd am chwythu corn mawr.

'd :d.r m :r.m f :m.r m :-' oedd y cynnig cyntaf, ond 'roedd yr haneri yn anodd braidd. 'Doedd y 'Mochyn Du' ddim llawer gwell chwaith, heb sôn nad oedd hi'n gweddu i adeg Diwygiad. Mi ddechreuodd 'Yr Eneth Gadd ei Gwrthod' yn well ond mi aeth i'r niwl arni hi pan oedd hi'n distaw sibrwd wrthi ei hun. 'Yn y dyfroedd mawr a'r tonnau' oedd y nesaf, a wir 'roedd 'na siâp ar honno a nodau lleddf yr hen alaw fawreddog yn cwafrio rownd yr iard ac allan i'r byd mawr rhwng talcen y gegin bach a'r cwt glô.

'Roedd Wmffra wedi mynd i'r tŷ a chadw'r corn a rhoi mymryn o fenyn efo blaen ei fys ar ei wefusau ymhell cyn i Lisi ddod o'r capel, a'r cof am gryndod y nodau mawr yn dal yn wefr yn ei galon.

Pnawn drannoeth pan oedd o ar ei ffordd adra o'r chwarel pwy ddaeth i'w gyfarfod o o flaen siop Lias ond Mistar Robaits y Gweinidog, a stopio fel arfer am sgwrs. Yr un sgwrs fyddai hi bob tro — y Diwygiad, a'r capel, a'r cyfarfodydd — a'r Gweinidog yn mynd yn ei flaen o ganmolieth i gynnwys ei genhadaeth,

"... ag yn wir i chi Wmffra Ifans, rydan ni wedi cael ambell i oedfa anghyffredin o rymus y dyddiau dwytha 'ma."

"Felly 'roeddwn i'n deall," digon cwta gan Wmffra.

"Ia, gan Mrs Ifans wrth gwrs! Ond mi fasen ni'n falch o'ch cael chi efo ni. Yn enwedig pan ydan ni'n cael arddongosiadau o'r grym tragwyddol."

"O?"

"Fel gawson ni neithiwr."

"Be?"

"O, pan oedd yr hen John Defis ar 'i linia, mi glywson ni i gyd y sŵn canu mwyaf nefolaidd glywson ni erioed. Seraffiaid glân ar uchaf gân gogoniant, Wmffra Ifans. Mi ddoth rhyw dawelwch mawr dros y lle, a phawb yn gwrando, a nodau'r hen emyn yn glir drwy'r capel."

Daeth rhyw euogrwydd rhyfedd dros Wmffra, ond fedra fo ddim peidio gofyn pa emyn oedd o. A phan atebodd y Gweinidog:

"Ebenezer, Wmffra Ifans — Yn y dyfroedd mawr a'r tonnau," mi dorrodd y sgwrs mor swta ag y medra fo a mynd am adra nerth ei draed cyn i adennydd angel ddechrau tyfu ar ei war o.

Sôn am Glec

'Roedd hi'n bregeth olaf oedfa olaf diwrnod olaf y Gymanfa Bregethu yn Rhoshirwaun ym mis Awst. Ac y mae hi'n dal yn fehemoth o gymanfa o hyd. Pedwar pregethwr, a pherson, yn cynrychioli'r pedwar enwad ymneilltuol a'r Eglwys yng Nghymru, ac yn pregethu ddwywaith bob un mewn pum oedfa ddwy bregeth o bnawn Mercher hyd nos Iau. Ac y mae hi yn dal i fynd yr un fath yn union — wedi cychwyn ym 1923.

Mae bysus Caelloi i'w gweld ar briffyrdd a thraffyrdd Ewrop trwy gydol misoedd yr haf erbyn hyn — yn Ffrainc, hyd lethrau'r Alpau, yn yr Almaen a'r Iseldiroedd. Ond un o'r tripiau blynyddol cyntaf i Gaelloi oedd y trip o Bwllheli i Gymanfa Bregethu Rhoshirwaun ar y dydd Iau. Aros y tu allan i'r neuadd dros y ddwy oedfa a'r llwyth — hen ffyddlon wrandawyr gynt — yn cael pedair pregeth a chael te traddodiadol gymanfaol rhyngddyn nhw. Ddaeth Caelloi ddim y llynedd. Mae'n beryg bod Sioe Flodau Amwythig a Rasus Ceffylau Caer ac Oberamagau wedi ennill.

Main fydd y cynulliad pnawn Mercher. Ond gwella rhywfaint at y nos, a chynyddu erbyn nos Iau nes y bydd hi yn how lond y neuadd, ac y mae hynny yn gannoedd o bennau o bobol. Pawb yn morio canu — Tôn y Botel, Cwm Rhondda, Price, Gorfoledd — nes y bydd y sinc yn crynu. Ia, sinc. Sinc ydi'r Neuadd. Dau dalcen ac ochrau a tho crwn yr un fath â thoeau'r tai gwair oedd yn cael eu codi yn y cyfnod, a'r tulathau a'r cyplau haearn yn eu dal wrth ei gilydd fel mecano o oes y cewri. Ond mynd i ddeud am yr oedfa olaf ym mis Awst y llynedd yr oeddwn i.

'Roedd popeth wedi digwydd fel arfer am y ddau ddiwrnod. Ac y mae'r 'fel arfer' yna yn bwysig. Ewch chi yn aelod o bwyllgor y Gymanfa ac fe gewch eich croesawu â breichiau agored a'ch trin gyda'r parch a'r moesgarwch sy'n gweddu i'r gwinllannoedd lle mae'r gweithwyr yn brin. Ond awgrymwch chi newid yn y drefniadaeth neu ddiwygio mymryn ar gyfer amgylchiadau cyfoes, ac fel y dyn yn y soned efo'r Gymraeg — 'mi gei di weld!'

Hwyrach fod y consyrn 'roedd y Mediaid a'r Persiaid yn ei redeg erstalwm yn fwy, ond 'doedd eu deddfau nhw ddim tynnach. Dyna i chi'r pwyllgor dewis pregethwyr ym mis Hydref. Rhestr o chwech o bregethwyr o bob enwad, ac wedyn tair pleidlais gan bob aelod i gael rhestr o dri. Dwy bleidlais wedyn i gael rhestr o ddau. Yna un bleidlais i gael y dewis cyntaf ac un bleidlais arall i gael yr ail. Mi fyddai pob Democrat Cymdeithasol wrth ei fodd.

Mae trefn y pregethu ddyddiau'r Gymanfa yr un mor sefydlog bendant. Y Wesla oedd yn dechrau bnawn Mercher y llynedd ac un o Ganoniaid Bangor yn ei ddilyn; Annibynnwr a Batus nos Fercher, ac wedyn cyfle i'r pump dydd Iau a'r Methodus yn cael pregethu ddwywaith am nad oedd o wedi cael cyfle o gwbwl dydd Mercher. Ymhen pum mlynedd, os byw ac iach, y bydd yr un drefn bregethu yn digwydd eto. Ond mynd i ddeud am oedfa nos Iau y llynedd yr oeddwn i.

'Roedd y pregethwr cyntaf wedi tynnu'r meicroffon oddi ar labed ei gôt a'i osod o ar astell y pulpud yn barod i'r ail. Mae'r meicroffon 'ma yn beth newydd. Mae'n anodd gwybod a oes ei angen o ai peidio, ond mae'i ddefnyddio fo yn cydnabod bod crefydd yn fodlon derbyn cymwynasau'r byd technolegol newydd. Syndod mor hylaw yr oedd y bys a'r bawd gweinidogol yn trin y pirin a'i osod o ar y du a'r llwyd clerigol. Un peth arall yn wahanol y llynedd hefyd — 'doedd gweinidogion y Gymanfa a'r 'brodyr' eraill oedd yn bresennol, ddim yn eistedd ar y meinciau sy'n wynebu'r pulpud ar hyd ochor y llwyfan. Hen bulpud Capel Pencaerau ydi'r pulpud. Pits pein solat. Mae o'n cael ei gadw yng nghongol y llwyfan dros y gaeaf — wedi ei sgriwio i lawr rhag i neb fynd i freicial efo fo.

Ym mhwyllgor mis Gorffennaf i wneud y trefniadau olaf, bydd eisio pasio — wedi cynnig ac eilio — ein bod yn gofyn i'r un person symud y meinciau o Festri Bethesda i'r Neuadd. Mae'n rhaid pasio'r penderfyniad er mai y fo ydi'r unig un â lyri gymwys at wneud y gwaith rhwng Llaniestyn ac Aberdaron, a bod y teulu wedi gwneud ers blynyddoedd. Ond y llynedd 'roedd y meinciau ar y llwyfan yn wag a'r gweinidogion yn eistedd yn y gynulleidfa ar y llawr. Hwyrach eu bod nhw eisio wynebu'r gwirionedd yn lle edrych arno yn wysg ei ochor. Ond mynd i ddeud am bregeth olaf nos Iau yr oeddwn i.

Gweinidog Wesla adnabyddus, y Parchedig John Alun Roberts, oedd yn cloi'r Gymanfa. Rhwng saith ac wyth ar y drydydd nos Iau yn y mis Awst brafiaf a welodd gwlad Llŷn ers blynyddoedd. Mi gododd ei destun — yr wythfed adnod o'r bennod gyntaf yn Llyfr yr Actau — 'Chwi a dderbyniwch nerth yr Ysbryd Glân'. Rhagymadroddi yn bwyllog a ffraeth i gyfiawnhau ei ddewis o thema, sef ei brofiad yn ddyn ifanc fel chwarelwr ym Methesda. Sôn am ddau fath o saethu mewn chwarel yr oedd o. Y saethu cyntaf oedd saethu efo powdwr du i symud darn o graig — ei llacio a pheri iddi ollwng ei gafael o'r haen o fynydd yr oedd wedi bod yn rhan ohono ers cyfnodau'r tân a'r rhew. Ei gwneud yn gyfryw y gellid ei thrin a'i thrafod a'i pharatoi i fod o ddefnydd. Ond yr oedd yno saethu arall meddai'r pregethwr — saethu gelignite — saethu i symud rhwystrau a gwastraff.

Nid hollti a llacio darn o graig y byddai'r saethu hwnnw ond ei malu a'i chwalu yn gyrbibion ulw...

Yn sydyn dyna glec dros y lle o gyfeiriad y llwyfan. 'Doedd y pregethwr erioed yn bod yn ddramatig fel John Elias ar Green y Bala a threfnu clec i ddychryn ei gynulleidfa? Na, 'roedd o'n mynd ymlaen yn ddigon difraw. Ond ar ôl y ddaeargryn ym mis Gorffennaf roedd pawb yn Llŷn yn dueddol i godi'i ben a moeli'i glustiau pan ddoi sŵn taran neu ffrwydrad. 'Doedd hi ddim yn derfysg; a 'doedd neb yn saethu. Tebycach i ergyd neu ffiws drydan yn chwythu. Hwyrach y byddai yna fwg glas yn codi o'r llwyfan yn y munud ac y byddai eisio galw'r ffeiar brigêd a gwagio'r neuadd. Ond na, 'roedd y meicroffon yn dal i weithio, ac mi ddaliodd y pregethwr i bregethu i'r Amen olaf. Canu. A'r fendith.

Mae yna fyd o wahaniaeth rhwng cynulleidfa yn dod allan o neuadd a chynulleidfa yn dod allan o gapel. Sŵn traed ar lawr concrid. Bariau drysau yn clepian. Mymryn bach o awyrgylch diwedd cyngerdd neu garnifal, fel pe bai o yn pontio'r gwagle rhwng mwyniant a sancteiddrwydd a rhwng noson waith a'r Sul. Mân siarad a stelcian a sgwrs a 'sudach-chi a sudach-chitha?'

Yno, cyn i'r byd chwyrlïo'r gynulleidfa yn ôl i'w granfangau y cafwyd eglurhad ar y glec. Tra oedd y pregethwr y tu mewn yn sôn am nerth yr Ysbryd Glân yn cymodi dyn â dyn, a dyn â Duw, 'roedd yna ddau geiliog ffesant y tu allan yn cwffio, ac un ohonyn nhw wrth erlid neu osgoi wedi taro pared-sinc cefn y neuadd a pheri i'r glec ddiasbedain y tu fewn. Wyddai neb a oedd y ffesant wedi brifo ai peidio.

Ond diolch, mae'n debyg, mai felly yr oedd hi. Pe bai'r ffesant wedi bod yn cynnal Cymanfa Bregethu a'r dynion yn digwydd bod yn cwffio y tu allan, mi fyddai'r ffesant a hwythau yn golsyn llosg yn llwch eu ffrwydrad.

Ystyried yr Ystrydebau

Maen nhw o gwmpas pawb ohonon ni o ddydd ein geni — 'Peth bach! Dydi o'n ddiniwed yn tydi? Plentyn bach yn siŵr o neud 'i le. Sut ma' neb yn medru bod yn frwnt wrthyn nhw? Wel ylwch mewn difri — mae o'n sylwi'n barod. Debyg i' Dad. 'Dydyn nhw'n dwad yn 'u blaena ar un waith!' Ac os bydd eisio siarad efo'r bwndal clytiau 'i hunan, bydd yn rhaid ailgyflyru'r berfau ac ailbatrymu'r ynganiadau er mwyn sefydlu cyfathrebiaeth gyda'r di-iaith. 'O dala fo. Se wyt ti? A gwgw wyn di o. 'Dyn nhw wedi dy gulo di? Ata nhw! Ig ŵ. Wyt ti am chwesin? Wyt wil. O blenin galadd!'

Yn fuan mi fydd yn ymlwybro o le i le, ar ei ben ôl ac un troed o dano, neu ar ei grafangau fel cranc rhwng coesau'r bwrdd a choesau'r cadeiriau. Mi ddaw i sefyll ar ei draed ôl, ac wedi pwl o simsanu a syrthio'n un llaprwth llipa, mi ddaw i gerdded. 'O! A mae o wedi gollwng ylwch! Cerddad yn gry yn tydi? Gofyn tendio bob munud. Sgidia wedi mynd yn sâl yn tydyn? Dillad plant yn para dim. A phopeth mor ddrud ynte? 'Does 'na ddim digon o arian i' gael yn nag oes? Wyddoch chi? A bwyd! A ma rhaid i chi gael bwyd — felly fydda i'n deud.'

Mi fydd yn amser iddo fo fynd i'r ysgol cyn bo hir — i grafangau'r gyfundrefn i gael ei naddu i ffitio'i le yn ôl y cynllun a'r patrwm. 'Achos 'daiff neb â'i addysg oddi arno fo. Rhaid iddo fo gael ysgol os ydi o am fynd yn 'i flaen. Plant heddiw yn cael manteision rhagor na phlant erstalwm!'

Cyn bo hir mi fydd yntau yn dechrau dysgu'r ystrydebau. 'Mae'n ddrwg gen i Syr, rydw i wedi' neud o ond mod i

wedi anghofio'n llyfr. Pobol ddiarth acw Syr. Colli bŷs Syr. Mam yn sâl Syr.' Ac mi ddaw o hefyd yn wrthrych amryw ohonyn nhw — 'Adroddiad ar waith John Jones, Dosbarth 3 G.' —
Saesneg — Gweddol dda.
Cymraeg — Da.
Ysgrythur — Siomedig.
Lladin — Mae angen mwy o ymroddiad.
Mathemateg — Fairly good.
Hanes — Dengys ddiddordeb.
Daearyddiaeth — Gwan.
Gwaith Coed — Satisfactory Progress.
Addysg Gorfforol — Aelod o'r tîm pêl-droed.
Ymddygiad — da iawn.
Sylwadau — Adroddiad boddhaol ond gallai John wneud yn well.'

John druan! 'Yr hen Faths 'na sy'n 'i ddrysu o — ddalltodd yr hogyn mo'nyn nhw erioed. Ag i be mae eisio iddyn nhw fod yn yr Ysgol nes bod nhw'n un ar bymtheg oed? Dydi hi ddim byd ond gêm i neud gwaith i'r hen ditsiars 'na. A dydi 'i Dad o a finna ddim eisio iddo fo fynd i ffwr' i ryw hen Goleg. I feddwi ag i rafio. Geith rwbath 'i neud hyd y fan 'ma.'

Os digwydd i John wneud 'cynnydd sylweddol' y tymor nesaf, mi fydd y gân yn newid, a'r 'hen ditsiars' yn mynd yn Mr. Davies a Jones Cem a Hughes a Miss Morgan a Mrs Owen a Mrs Roberts. 'A wyddoch chi, mae ganddyn nhw brofiad yn 'does rhagor na ryw rai ifanc.' Bydd John yn mynd ymlaen am ei O lefels, ac o bosib am ei Faths a Phys a'i Fei-ól yn Fform Sics. A bydd dorau'r addewidion yn agor o'i flaen a B.A. neu B.Sc. yn ei wahodd i fod yn un o golofnau teml yr ystrydebwyr. 'Yn gymaint â darfod i John Jones gyrraedd y safon angenrheidiol o fedrusrwydd yn y wyddor hon, yr wyf fi yn rhinwedd fy swydd yn ei dderbyn y dydd hwn yn gyflawn gymrawd o. .' A dyna fo wedi mynd ymlaen ac ymlaen ac ymlaen — yn ddoctor neu dwrna neu bregethwr — neu ditsiar.

Ond os na fydd o mor lwcus â bod yn un o'r sêr yn ffurfafen dysg ac ysgolheictod a chael sefyll o flaen cynulleidfa ddethol i ddweud, 'Annwyl Gyfeillion. Mae'n fraint ac yn anrhydedd i mi gael manteisio ar y cyfle caredig hwn i. . .', wel, mi gaiff ddigonedd o gyfleusterau eraill i arfer ei gasgliad o ffurfioldebau a dweud dim mewn nifer o eiriau dethol. 'Mr Cadeirydd — fel un o aelodau ieuanc y Cyngor, credaf ei bod yn ddyletswydd arnaf, yn wyneb y feirniadaeth bresennol ar waith ac ymrwymiadau'r Cyngor, i ddeisyf eich caniatâd caredig i wneud sylw neu ddau ar gefndir cyffredinol y mater sydd dan sylw, ac i atgoffa'r Cyngor ein bod eisoes wedi dewis pwyllgor i ystyried y posibilrwydd o edrych i mewn yn fanylach ar y foment hon mewn amser i holl weithgareddau perthnasol y gwahanol bwyllgorau sydd yn gyfrifol am ddwyn adroddiad ar y cwestiwn arbennig hwn o flaen y Cyngor, ac y gallwn ni felly yn hyderus obeithio y bydd adroddiad yr arbenigwyr yn cael ei gyflwyno i sylw'r is-bwyllgor priodol lle caiff ei ystyried a lle bydd cyfle i'r Cynghorwyr fynegi eu barn a gwneud argymhellion cyn dod â'r mater i sylw'r Cyngor yn y cyfarfod nesaf. . .'

Mi ddaw yn amser chwilio am gariad, a dweud yr un ffolinebau yn yr un hen eiriau ag a ddefnyddiodd ei dad a'i daid. A meddwl eu bod nhw yr un mor newydd ag y meddyliont hwythau. Mi ddaw llais y pregethwr — yn sibrwd i ddechrau — 'Deudwch ar fy ôl i', ac yna yn uchel dros y capel — 'Yr wyf fi, John Jones, yn dy gymeryd di. . .' Cyn bo hir bydd yntau, a'i wisg yn barchus, yn un o'r criw yn sefyll yn y glanweithdra antiseptig y tu allan i ddrws y ward yn yr ysbyty yn disgwyl amser agor iddo gael cerdded ar hyd y rhes gwlâu nes dod o hyd i'r un sy'n ei ddisgwyl. Ar ôl ei chyfarch yn edmygus, bydd yn gwybod ei bod yn amser iddo edrych i'r cot wrth draed y gwely, a diau mai'r un stori fydd hi — 'Hylô ngwas i? Be' ti'n neud?' A hithau mor amlwg â'r haul nad ydi o'n gwneud affliw o ddim. Na bod golwg y gwnaiff o ddim byd yn hir iawn chwaith. Ond os caiff o'i fywyd a'i iechyd, mi ddaw yntau i'w dweud nhw i gyd.

Nid ystyr yr ystrydebau sy'n bwysig. Ychydig iawn o hwnnw sydd ganddyn nhw am wn i. Y peth mawr ydyw eu bod nhw'n cael eu dweud. A diolch bod yna ddigon ohonyn nhw at bob achlysur — hyd ein holaf gŵyn. Y sŵn siarad sy'n golygu dim ac yn cyfleu'r cwbwl.

Modrwy Briodas

Ymwelwyr haf yn dod i Lŷn ar eu gwyliau oedd y teulu yn ymddangos yn y tri a'r pedwardegau, ond cydnabod hen gysylltiad ac adnewyddu hen berthynas yr oedden nhw mewn gwirionedd. 'Roedd y tad a'r fam wedi cyfarfod ei gilydd am y tro cyntaf yn Llandrindod yn y cyfnod pan oedd y fangre ddyfrllyd honno yn boblogaidd ac yn ffasiynol. Sefyll mewn tyrfa yn gwylio chwarae rhyw gêm neu'i gilydd yr oedd y ddau, mewn cae 'ar brynhawngwaith braf. . .' a chan fod hyn wedi digwydd cyn i gemau fynd yn goman a phobol fynd yn ffyrnig, yr oedd weiran lefn ar stanciau derw yn ddigon i ddangos y ffin rhwng y llain a safle'r gwylwyr.

Gan mai dros dro yn unig yr oedd y weiran i fod yn ei lle, nid oedd y styffylau oedd yn ei dal wedi eu curo at eu pennau, a gallai ysgwyd un rhan ohoni beri cryndod ar ei hyd. Ac yn rhyfedd iawn, bob tro y cydiai'r ferch ifanc yn y weiran teimlai blwc sydyn. Edrychodd i fyny ac i lawr y rheng a gweld nad oedd ond ambell un yma ac acw hyd yn oed yn gafael yn y weiran, a bod y rheini, yn ôl pob golwg, yn ddwylo digon llonydd a llipa. Cydio ynddi wedyn a'r un peth yn union yn digwydd. Yn bryfoclyd bron iawn. Sylwi wedyn fod yna ŵr tal golygus yn sefyll rhyw bum neu chwe llath yn is i lawr yn y rheng a'i fod o yn cydio yn y weiran, ac ar ôl rhyw afael bach neu ddau arbrofol arall, trodd y plwc yn arwydd. Aeth yr arwydd yn edrychiad a'r edrychiad yn wên, yn adnabyddiaeth, yn gyfeillgarwch, yn garwriaeth.

Er mwyn cael y cefndir yn iawn mae'n rhaid cofio fod

cariadon, yr adeg honno, yn priodi ac yn byw efo'i gilydd weddill eu hoes. Syniad od erbyn hyn. Ac yng nghyflawnder yr amser, paratoi i briodi fu hanes y cariadon hynny hefyd, a chael eu cysylltu mewn glân briodas ac nid mewn weiran lefn a stanciau derw. Wn i ddim ymhle y prynwyd y fodrwy briodas na faint oedd ei phris hi, ond mae'n siŵr i'r pâr ifanc hwnnw fel miloedd ar ei ôl feddwl llawer ac ystyried a chysidro, a'i ffitio ar fys y llaw chwith, oedd i'r bachgen 'mor wyn ag anemoni ffynnon y coed', cyn bod cric mewn cymal na chwydd mewn migwrn. Felly y cyfarfu'r Parchedig J.R. Evans â'i wraig Catherine.

Ym 1912 y daeth yn weinidog at yr Annibynwyr ym Mryncroes a'r Rhiw a Hebron yn Llŷn a dechrau byw ym Mryn Myfyr — tŷ'r gweinidog yn Hebron. Erstalwm oedd hyn. Yn yr amser hwnnw — yr un fath ag efo priodi — yr oedd pobol yn mynd i'r capeli a'r eglwysi ac yn cynnal cyfarfodydd gyda'r nosau — cyfarfodydd cystadleuol, a chyfarfod darllen a chyfarfod gweddi a Band of Hope a Seiat a phethau felly. Ac yr oedd y gweinidog ifanc a'i wraig ifanc yn weithgar ac yn selog.

'Roedd pobol oedd yn byw yn yr un cylch â'i gilydd yn gymdogion hefyd — yn helpu'i gilydd pan fyddai angen ac yn diddori yn y naill a'r llall. A mynd i helpu felly amser cynhaeaf ŷd, yn wraig ifanc gymdogol wnaeth Mrs Evans pan gollodd hi ei modrwy briodas. Cynnull neu gario yn y cae am y clawdd â gardd Bryn Myfyr yr oedden nhw pan sylweddolodd hi'n sydyn nad oedd y fodrwy ar ei llaw. Dychryn mae'n rhaid. A phryder a phoen. Ac ar ôl yr holl chwilio ofer, tybed sawl gwaith wedyn yr edrychodd hi dros glawdd yr ardd i'r cae a meddwl bod ei modrwy briodas hi yn rhywle yn y pridd yn y fan honno?

Ond gwisgo y mae pethau wrth drugaredd a thebyg mai hynny a ddigwyddodd iddi hithau wrth i'r plant gael eu geni a'r teulu gynyddu a'r byd fynd yn hŷn. Ac amser yn dod yn ei dro i newid gofalaeth a symud o Hebron i Lanelwy ac i Abertawe yn ddiweddarach.

Mae Llŷn yn medru dal ei gafael fel cranc mewn pobol. Dyna i chi J. Glyn Davies a Iorwerth Peate a Cynan. Ac fe ddigwyddodd yr un fath iddynt hwythau. Dod yn ôl yn ystod yr haf bob blwyddyn a'r afael yn dal yr un mor sicr o hyd ac yn mynd yn dynnach o bosib wrth i bryderon y bywyd priodasol cynnar gael eu lliniaru a'u gwynnu yn haul yr hafau.

Bygwth difodi'r byd sydd i ddod y mae ofn rhyfeloedd, ond dinistrio darnau o'r byd sydd yn bod ydi canlyniad pob rhyfel sydd wedi digwydd ac yn digwydd. Dyna a ddigwyddodd ym 1939 hefyd. Yn y rhyfel hwnnw yr aeth 'Abertawe'n fflam', a diau fod tawelwch Penrhyn Llŷn yn fwy o atyniad fyth yn ystod y blynyddoedd hynny. Yr oedd y plant yn tyfu erbyn hyn a dim ond rhith gofion plentyndod oedd Llŷn iddyn nhw ac nid gwynfyd ieuenctid fel oedd o i'w tad a'u mam.

Ym 1942, ynghanol blynyddoedd y rhyfel, yr oedd yr ieuengaf o'r ddwy ferch yn priodi mewn byd gwahanol iawn i'r byd yr oedd ei rhieni wedi priodi ynddo. Meddyg yn y lluoedd arfog oedd ei darpar ŵr a'r ddau am briodi y tro nesaf y byddai'n cael seibiant. Ac yn Llŷn, yn yr haf fel arfer, yr oedd ei thad a'i mham pan ddaeth y seibiant heb ei ddisgwyl a'r cyfle i briodi. Rhaid oedd troi am y De felly ar unwaith er bod Mr Evans yn ddigon gwael ei iechyd ar y pryd. Ond yr oedd yn rhaid dod yn ôl i Lŷn ar ôl y briodas hefyd.

Llŷn oedd yn newid yn nhywyllwch y blacowt a phrinder y dogni a phryderon am y plant oedd ar wasgar. 'Roedd cefn gwlad ei hun yn ymddangos yn symol ddiogel trwy ymdrechion y Gwarchodlu Cartref yn sefyll yn arfog ar groesffyrdd anghysbell ac yn chwythu'r llwybrau i lannau'r moroedd efo deinameit 'rhag ofn i'r Germans landio'. 'Roedd hi'n ddigon diogel yn wir i'r 'plant cadw' fod wedi dod o Lerpwl yn eu cannoedd i'r ardaloedd a'r pentrefi, a sefydlu dros dro fel ynysoedd bach ynghanol cymdeithas oedd yn dal i fod yn weddol Gymreig. **Yn** troi yr oedd y llanw er bod y trai sydd ohoni erbyn hyn yn edrych ymhell ar y pryd. A Hebron yn dal rhywbeth yn debyg i'r hyn oedd o pan oedd y gweinidog ifanc a'i wraig yn dechrau byw yno. Ar wahân i ambell i arwydd fel bod y festri wedi ei rhentu i gynnal ysgol i rai o'r plant bach o Lerpwl.

Ond chafodd Mr Evans ddim cyfle i weld y newid yn dechrau. Yr oedd ei gyflwr yn dirywio a'r corff yn gwanio. Chafodd o ddim gweld y festri wedi mynd yn ysgol, na gweld y darn newydd oedd wedi cael ei brynu at y fynwent. 'Roedd yr hen fynwent wrth ochor y Capel — y fynwent lle mae'r englyn i hogia' Tir Dyrus, y tri

'Aethant ddifater weithion
O bysg a therfysg a thon.'

— wedi llenwi, ac yr oedd y darn tir newydd wedi cael ei gau ond heb ddechrau cael ei ddefnyddio, ar wahân i'r ffaith fod plant bach Lerpwl oedd yn y festri yn mynd yno i'w diddori eu hunain amser cinio ac amser chwarae. Wydden nhw ddim mai mynwent oedd y lle yn mynd i fod ac yr oedden nhw yn gweld rhyfeddodau yno nad oedden nhw ddim i'w gweld yn Lerpwl. Yr oedd gweld tocyn twrch daear — pridd gwahadden — newydd ei wthio o'r ddaear yn beth diddorol. A mwy diddorol fyth oedd gweld rhywbeth melyn yn y pridd yn sgleinio yn yr haul. Ia — y fodrwy oedd hi. Darn o'r hen gae ŷd oedd y tir oedd yn mynd i fod yn fynwent.

Un o'r pethau olaf wnaeth y Gweinidog oedd rhoi'r fodrwy yn ôl ar law ei wraig. Fe gollodd y dydd yn fuan iawn wedyn. Ac fe dorwyd ei fedd — y bedd cyntaf — yn yr union fan y cafwyd hyd i'r fodrwy. Dyna pam y dechreuwyd claddu ynghanol y fynwent yn Hebron. Mae dau enw ar y garreg erbyn hyn,

Er cof annwyl
am
Y Parch. J.R. Evans
a fu farw Mehefin 16, 1942
yn 74 mlwydd oed.

Anwylyd yn ei gartref,
Cennad yn ei bwlpud,
A gŵr Duw ar hyd ei fywyd.

Hefyd ei Briod Catherine 1886-1972

Mae hi fel stori dylwyth teg yn tydi?

Hwyl!

'A llefarodd yr Arglwydd wrth Moses gan ddywedyd, Dywed wrth feibion Israel am gerdded rhagddynt.' A rhagddynt yr aethon nhw er iddyn nhw gymryd deugain mlynedd i gyrraedd, ac nad ydi hi yn edrych yn debyg eu bod nhw wedi gorffen setlo i lawr hyd y dydd heddiw. 'Llefara, Arglwydd, canys y mae dy was yn clywed,' ddeudodd Samuel hefyd ar ôl i Eli egluro iddo fo mai Duw oedd yno. A phan ddaeth Elias i geg yr ogof i sefyll, fe ddeallodd bob gair pan ofynnodd y llef ddistaw fain iddo, 'Beth a wnei di yma, Elias?' Felly yr oedd hi wedi bod o'r cychwyn. Mi glywodd Adda, yr hen greadur, yn ei gywilydd ac yn noethlymun groen, y llais oedd yn rhodio yn yr ardd gydag awel y dydd yn gofyn iddo, 'Pa le yr wyt ti?' A faint bynnag oedd o'i le ar ei fuchedd o, 'doedd dim o'i le ar ei glyw o, achos mi atebodd er ei fod yn ymguddio, 'Dy lais a glywais'.

Wel, a chaniatau bod yr Arglwydd — ac y mae o, wrth gwrs, — yn llefaru'n eglur, mae'n rhaid bod pobol yn clywed fel cathod yr adeg honno hefyd, neu yn gwrando'n well, achos 'does yna fawr o gownt am y defnyddio ebychiadau annealltwriaeth sy'n britho sgwrs erbyn heddiw. Mi barhaodd pethau felly am hir. 'Roedd hi'n ganol y ganrif ddiwetha ar Ieuan Gwyllt yn deud,

Mi glywaf dyner lais
Yn galw arnaf fi...

Ond erbyn heddiw, gofynnwch chi gwestiwn, neu deudwch ryw air bach fymryn yn isel ac mi fydd rhywun yn siŵr o droi atoch chi â'r hanner gwên dosturiol — 'dwiddim-eisio'ch-brifo-chi-ond-'does-gen-i-ddim-syniad-be-ddeudoch-chi' ar eu hwyneb, ac yn deud 'Sori' wrthoch chi, a'r 'o' yn gron a'r 'i' yn fain a'r oslef ar i fyny at y diwedd fel sŵn actor o Gymro wedi penderfynu ei fod o, neu hi, am ddod yn ei flaen ym myd y ffilm yn Sir Fôn neu Ben Llŷn.

'Paid ti â gweiddi 'Y?' yng ngwynab pobol — deud ti 'Sut' neu 'Be?' fyddai'r gorchymyn erstalwm i drio gwareiddio tipyn bach ar egin anystywallt yr hen ddynoliaeth 'ma. Ond yn aeddfedrwydd yr arddegau, a'r egin yn dechrau magu dail, mi dyfodd y 'Sut?' a'r 'Be?' ebychiadol i fod yn 'Be ddeudoch chi?' neu 'Sut 'roeddech chi'n deud?' llawer mwy cwrtais a syber. Ond buan iawn y cafodd y rheini eu disodli gan y 'Pardon?' Saesneg a'r niferus amrywiadau arno fo. Mi gaech chi'r Cymry cyfieithog yn troi eu clust dde atoch chi ac yn codi aeliau'u llygaid a sibrwd 'Maddeuwch i mi', a'r pwyslais ar y 'mi' fel tae nhw rhwng Cymraeg a Sol-ffa. Ond gan y rhai llai elitaidd eu serch at eu mamiaith, fe aeth y 'Pardon?' gor-Seisnigaidd yn 'Padn?' cywasgedig ar batrwm pethau hyll fel 'Bèlfast' a 'màgasin'.

Eto, tila iawn o ddirywiad sydd wedi digwydd yn yr ebychiadau o ddiffyg clywed a diffyg gwrando o'u cymharu â'r geiriau cyfarch a ffarwelio. Iawn, mae'n debyg, i ddymuniadau fel 'Henffych' a 'Cressaw' a 'Duw a ro da it, eneit' fod wedi diflannu yn ystod y blynyddoedd, achos byddai gofyn bod wedi eu newid i bethau fel 'Y Wladwriaeth a ro dda i ti, gorff' a byddai hynny yn rhy gwmpasog. Felly, cawsom 'Helô,' 'S'mai?' a'r 'Hai-ia' tafodlyfn a chyfoes ac ystyrlon.

Ond fu pethau ddim mor rhwydd yn hanes rhai o'r geiriau ffarwelio. Nid bod eisio i rywun daro 'Dan dy fendith wrth ymadael' ar y dôn Caersalem bob tro 'rydan ni'n gwahanu, ond mi fyddai'n dda cael ychydig mwy o synnwyr yn rhai o'r ebychiadau ffarwelio. Iawn eto i bethau fel 'Duw'n rhwydd' ac 'Yn iach' a'r gweddill ohonyn nhw oedd yn boblogaidd mewn Cymraeg Canol fynd ar goll. Maen nhw wedi cael eu hen ddisodli gan bob mathau o bethau fel 'Cheer-io' a 'Ta-ta' ar ôl i 'Ffarwel' a 'Da bo'ch chi' fynd ar goll, hyd at erthylwch megis prif lythrennau cymal Saesneg fel 'T.T.F.N.' yn cynrychioli *Ta-ta for now.* Mae yna rai haerllug fel 'Welan ni chi' a 'Twdl-w', ac, wrth gwrs, mae yna rai afledna is, bachgennaidd fel be ddeudodd Moses wrth Pharo pan oedd y Môr Coch yn cau.

Mi fuo 'Hwre' yn boblogaidd mewn rhai cylchoedd, a hwyrach nad oedd o ddim mor ffol mewn difri — mae yna ambell i ymadawiad y byddai'n werth gweiddi 'Hwre' yn ei gylch. Ond y mwyaf cyffredin o'r cwbwl bellach ydi'r gair bach 'Hwyl'. Gan lafnau a llafnesod ysgol wrth fynd o'r bŷs, gan Ferched y Wawr wrth adael cyfarfodydd gefn trymedd nos yn y gaeaf, gan flaenoriaid Methodus wrth gloi'r drws ar Nos Sul ar ôl oedfa'r pump neu chwech, ac yn arbennig gan haen ieuenga'r dosbarth canol-oed cynnar — y bobol sydd â sbonc ieuenctid yn dal yn eu cerddediad wrth iddyn nhw gychwyn i ffwrdd a throi rownd a deud 'Hwyl'. Ond beth tybed am darddiad ac ystyr y cyfryw?

Heb fynd i wneud gwaith ymchwil ieithyddol geiriadurol, academaidd, mae'n debyg mai ym mratiaith myfyrwyr y Colegau yn nechrau'r ganrif y gellir dod o hyd i'r tarddiad. Un o nodweddion iaith yr hil sgertiog, flowsiog Oxford-fagog honno oedd y duedd i gywasgu geiriau a chael cymaint fyth ag a ellid o eiriau unsillafog. Gan mai hanner Cymry oedden nhw, drwy'r duedd gywasgu hon, yr oedd 'Coleg' yn mynd yn 'col', darlith yn mynd yn 'lec', llyfrgell yn 'leib' ac Athro yn 'Broff'. Ar y cefndir unsillafog yma yr oedd 'Hwyl' yn ateb y diben yn ardderchog. 'Doedd o ddim yn poeni 'yr hufen' y byddai eu cydnabod gwerinol yn edrych yn od arnyn nhw a'u 'hwyl' pan fydden nhw gartre ar eu tro o'r temlau dysg yn eu hen gynefin. Ac wrth gwrs yr oedd cynnal holl bwysau'r ddysg a'r wybodaeth oedden nhw'n gario yn eu pennau yn bownd o'u gwneud nhw'n wahanol — fel y digwyddodd hi efo'r Bardd Cocos.

Tebyg mai ystyr wreiddiol y gair yn ei gyswllt oedd 'Gobeithio y cewch chi bob hwyl', a'r pwyslais ar 'hwyl' yn naturiol yn y cyfnod oedd newydd weld rhyfel i roi pen ar bob rhyfel am byth: y dyddiau pan oedd y gwerthoedd Fictoraidd yn dal eu gafael a'r byd yn dal yn lle diogel, diddorol, a neb yn sylwi fod haul yr Empeiar wedi gostwng deg neu ddeuddeg gradd at y gorwel er nad oedd wedi dechrau cochi. 'Roedd yr amser i ddymuno i chi gael bod yn dda wedi pasio, ac yn sicir yr amser i ddymuno i chi gael Duw gyda chi wedi pasio. Cael hwyl oedd yn bwysig. Dechrau cyfnod byr y chwarae pleserau cyn dyfod y dyddiau blin. Ond y mae geiriau yn goroesi cyfnodau.

Aeth y dauddegau yn dridegau a'r myfyrwyr 'hwyliog' hynny yn mynd, rai yn bileri'r Wladwriaeth, rhai yn golofnau'r eglwys, a llawer yn ddistiau dan loriau'r sefydliad. Ond fe aethon nhw â'u gair i'w canlyn i'w gwahanol gylchoedd, ac wrth ei ddefnyddio, ei drosglwyddo i genhedlaeth newydd a honno yn beiddio gwamalu ar ei ystyr. Aeth yr 'hwyl' yn bethau fel 'Hwyl a fflag' gyda'r awgrym o ddelwedd llong yn cerdded i ffwrdd — a llun penglog ac esgyrn croesion ar ei baner ddu. Ac ambell dro fe lusgwyd 'w' yr 'hwyl' yn llafariad hirfaith, bersain gan gyflwynwyr y cyfryngau. A bellach mae wedi ennill ei blwy yn barchus gydnabyddedig pan fydd pobol yn mynd oddi wrth ei gilydd.

Ac eto, dydi hi ddim yn hwyl bob amser chwaith, yn enwedig pan fyddwch chi'n cychwyn allan i ganol storm o fellt a tharannau, neu luwch eira. Neu pan fyddwch chi'n gwybod eich bod chi'n gadael i wynebu pryder a phoen.

Ac yng ngeiriau'r bardd,

> Pan ddelo'r dydd im roddi cyfrif fry
> O'm goruchwyliaeth ar y ddaear lawr,

leciech chi glywed llais o'r tu ôl i chi yn deud — 'Hwyl'?

Dydd Llun Frech Goch

Pnawn Llun yn y Gwanwyn oedd hi, a gwynt y de-orllewin yn chwythu'n sych o gyfeiriad mynyddoedd yr Eifl a Phenrhyn Llŷn, a'r dillad ar y lein yn clepian ac yn ymchwyddo yn ôl eu siâp a'u patrwm, o glec galed y llieiniau sychu llestri a'r bratiau cotn i ddwndwr meddal y cynfasau fflanalet, a phawb yn anfon ei wlybaniaeth a'i damprwydd yn lleithder ar awelon Ebrill dros gaeau gwair oedd yn dechrau tonni gan eu twf ac yn anamaethyddol lawn o lygad y dydd a blodau menyn. Draw ymhell dros Lyn Meibion a Phisgah B am Rosgadfan a Mynydd y Foel a'r Mynydd Grug...

Pan fydd y plant bach sydd yn ddeg oed y blynyddoedd hyn yn cofio amdanyn eu hunain yn cael y frech goch ac yn cael aros gartref o'r ysgol ar ddiwrnod golchi, fydd yna ddim aroglau sebon coch, na sŵn gwlanenni ar olchwr gwydr, na theimlad esmwyth trochion sebon yn cael ei gario oddi ar y dwylo fel ewyn i rwydwaith y coed cwsberis; na dŵr-lliw-glas yn gwneud i'r bysedd wichian yn erbyn ei gilydd; na dim o'r miloedd delweddau sydd yn help i atgofwyr petrusgar heddiw ramantu'r gorffennol. Ac eto, a mentro herio'r holl sefydliad gwrth-ramantaidd, hwyrach mai'r rhamant ac nid y deunydd sydd yn bwysig, ac y bydd pobol y frech goch heddiw rywdro yn y dyfodol pell yn cofio am glec ffroenuchel yr otomatig wrth iddi ddybldiclytsio o'r naill sbîd i'r llall wrth fympwy ei hamseru peiriannol ei hunan, sŵn y dillad yn curo yn llwtrach gwlyb y tu mewn i'r drym wrth iddi olchi, a'r nodyn uchel fydd yn chwyrlïo o'i chwmpas wrth iddi sbinio; aroglau persawr y powdwr sy'n wynnach na gwyn ac yn llawn o'r haul ac yn fywydegol goncwerol; a meddalwch y gwlân sydd wedi cael ei gysuro i esmwythyd; a gwres cynnes aroglau dillad glân yn dod o'r sbin dreiar.

Na, maen nhw'n siŵr o ramantu yr un fath. Eu deunydd nhw yn unig fydd yn wahanol. Chlywan nhw mo'r sgwrs honno wrth gael cwpanaid o de tua thri o'r gloch efo cymdoges oedd wedi dod heibio i nôl llaeth ac i gael basgedaid o datws mân i wneud tatws drwy'u crwyn. Fel y buasai pobol o Gors y Bryniau yn dweud, 'cypaned o de boeth dda', a golau'r haul oddi ar y dillad ar y lein yn llond y gegin. A'r ddihareb am glustiau mawr moch bach mor wir ag erioed, er i'r sgwrs amcanu bod ar ddamhegion.

"Ma hi'n sobor yn y... yn y lle 'na ar ochor y mynydd?"

"Wel ydi yn tydi? Margiad Jên yn cwyno hefyd?"

"Ma nhw wedi mynd â hi i'r lle hwnnw yn y dre er ddoe."

"Wel tewch da chi! Wedi mynd â hi? Ma Jen Leusa yno'i hunan felly?"

"Fel adyn ma raid — gyduras heb neb ar 'i chyfyl hi. Ag wedi cloi o gricmala."

"A fawr at 'i llaw chwaith ma siŵr?"

"Dim. Ma'r ddwy wedi bod mor ddiddarbod â'i gilydd."

"Ag mor daclus oedd hi yno ar ôl yr hen fachgan 'i tad nhw ynte?"

"'R hen Robat Jôs? Y tŷ yn glir iddyn nhw, a'i lond o o ddodran. Ond ma'r rhan fwya ohonyn nhw wedi mynd."

"Bobol annwyl. Tybad?"

"Ydyn yn tad — mi oedd y ddwy wedi byta'r organ cyn pen hannar blwyddyn..."

Aeth gweddill y sgwrs am drueni'r ddwy ar ddisberod wrth i'r ddelwedd ohonyn nhw'n bwyta'r organ ffurfio yn y meddwl nes eu bod yno ar eu penna-gliniau ar lawr o'i blaen yn ei llarpio i'w cyfansoddiad styllen wrth styllen a nodyn wrth nodyn.

...Mi gymrodd flynyddoedd iddi hi wawrio ar y Frech Goch mai wedi gwerthu'r organ yr oedd y ddwy a defnyddio'r arian i brynu bwyd. A chwarae teg iddyn nhw. Yr oedd hualau Piwritaniaeth lem y gymdeithas honno wedi eu clymu am stumogau pobol yn ogystal ag am eu heneidiau, ac yr oedd bwyta yn rhy dda, neu 'sgramio' yn bechod y dylid argyhoeddi'r byd ohono.

Yn gam neu yn gymwys nid oedd glythineb yn bechod wedi ei gondemnio fel meddwdod, ond yr oedd sosej a pheni dyc a stêc a tsiopan a thun samon a becyn yn bethau i gyd yn costio arian. Yr oedd ceiliog iâr y gellid mynd i'r cwt ar ôl iddi dywyllu a'i ruthro yn ei goesau i'w dynnu oddi ar y glwyd i'w wneud yn gig Sul yn beth hollol wahanol. A beth bynnag oedd gwerth y nerob neu'r ham oedd yn hongian ar y bachyn wrth ben y gegin, 'cig mochyn' oedd o ac nid 'becyn'. Methu gweld y gwahaniaeth sylfaenol yma rhwng blas ac arian fu'n gyfrifol am i'r ddwy hen gryduras ar ochor y mynydd fynd i'r fath ddormach.

Ar nosweithiau stormus yn y gaeaf mi fyddai'r organ yn chwyrlïo mynd drwy'r awyr yn y tywyllwch a Jên Lusa a Margiad Jên yn ei dilyn hi ar eu dwy ysgub a'u dwy fantell ddu yn clepian yn y gwynt a'r glaw a'u lleisiau'n orfoleddus rhwng hyrddiau'r gwynt wrth iddyn nhw ganu eu parodi ar un o hwiangerddi'r blynyddoedd a newid y geiriau i

Cianibal organ wan tw thri
Clec ar y faglan a ffwrdd â hi.

Bara Bonsiach

Un blêr oedd Bonsiach. Rhai blêr oedd y brîd wedi bod erioed. Byw ei hunan yn y ceunant i lawr wrth yr afon yr oedd o mewn tŷ mwd ac un corn ar ei ben, ac un ystafell y tu mewn iddo. Un ffenestr, un drws, un gadair, un bwrdd crwn. Ac wrth y pared gyferbyn â'r drws a'r ffenestr yr oedd erchwyn o gerrig llyfnion fel dechrau wal bach, a gwellt gwenith a gwlân wedi eu taenu arnyn nhw. Un gwely Bonsiach.

Rhwng dau a thri brynhawn dydd byr oer ym mis Ionawr, yr oedd gŵr y tŷ yn ei wely. Yn ei ddillad fel arfer. Ei 'ddillad' y galwai o nhw fel pe baen nhw yn wisg tywysog. 'Fuasai bwgan brain mewn ffarm fawr byth yn mynd i'r cae ynddyn nhw. Esgidiau dri neu bedwar seis rhy fawr iddo er mwyn i'w draed edrych yn fawr am ei fod yn meddwl bod gan bob dyn mawr draed mawr. Yr oedd o'n gredwr digamsyniol mewn traed.

Llinyn oedd yn eu cau yn lle careiau — llinyn sach yn y dde ac edau bacio yn y chwith. Trywsus streips oedd o wedi ei gael ar ôl ei frawd oedd yn byw yn y Sowth oedd ei drywsus. Yr oedd ei frawd yn ddyn mawr tal, a Bonsiach yn hen stwcyn bach tew, ond yr oedd wedi trio ei orau i wisgo'r trywsus heb ei altro trwy ei godi yn uchel o dan ei geseiliau. Yr oedd coesau'r trywsus yn mynd dan ei draed a'i faglu, ac felly 'doedd dim amdani ond cymryd siswrn a thorri'r godre i ffwrdd. Ar ôl torri un goes, sythodd i weld sut siâp oedd arno. Cyrraedd union dop ei esgid! "I'r dim," meddai yntau wrtho'i hun a gwyro i dorri'r goes arall. Wrth iddo blygu, agorodd ei fresus — darn o rêns Jinw, merlen

Glanrafon oedd o wedi ei gael ar ôl iddi hi farw, a dwy hoelen oedd y bresus — a thorrodd yntau'r goes arall heb sylwi. Pan gododd o yr oedd honno tua chwe modfedd yn fyrrach. "Haff mast 'ta," meddai yntau, "mi 'neiff y tro yn iawn." Gwasgod felfared a phocedi ynddi hi, côt ar ôl cefnder i gyfnither ei wraig oedd yn blisman yng Nghaernarfon, a phin sach yn ei chau yn lle botymau. Hances goch am ei wddw a het galed am ei ben. A dyna iwnifform Bonsiach — Sul, gŵyl a gwaith.

Y pnawn yma 'roedd o'n gorwedd yn ei wely ar wastad ei gefn a'i drwyn i fyny. Yr oedd ei wyneb yn gynnes am fod ei farf yn tyfu at ei lygaid bron iawn, a'i wallt i lawr at ei aeliau. A 'doedd o ddim wedi siafio ers blynyddoedd. Pan fydda fo o ddifri, yr oedd o'n od o debyg i ddraenog coed neu frws llawr crwn, ond wrth iddo chwerthin, byddai ei geg yn agor fel dechrau ogof ynghanol ei farf, a'i ddannedd yn sgleinio o'i chwmpas.

Yn sydyn daeth llygoden bach allan o un o'r tyllau oedd rhwng y cerrig ym mhared y gwely. Edrychodd o'i chwmpas yn nerfus a rhedodd i fyny coes y gadair ac i fyny coes y bwrdd i edrych a oedd y dorth yn y golwg. Fel arfer, yr oedd honno ar ei hochor ar y bwrdd, a phan welodd hi, rhedodd y llygoden bach yn ei hôl.

Ymhen dau funud yr oedd yna sŵn crafu bach, a sgriffio bach, a llithro bach rhwng y cerrig, a daeth degau o lygod bach i'r golwg. Yr oedd llygod Tŷ Bonsiach yn ddigon o ryfeddod. Rholiau bach crynion tewion a'u cotiau yn sgleinio fel sidan. Fuo nhw ddim hwy na hyd deuddeg chwyrniad i Bonsiach nad oeddan nhw ar ben y bwrdd ac wedi bwyta'r dorth yn lân. Yn yr eiliadau o dawelwch pan oedd Bonsiach wedi gollwng un chwyrniad allan a chyn iddo ddechrau tynnu un arall i mewn, yr oedd sŵn y llygod bach yn cnoi i'w glywed yn glir. Yn enwedig y rhai oedd yn cnoi'r crystyn.

Gorffennwyd y wledd, ac aeth pawb yn ôl i'r nythod rhwng cerrig y gwely.

Deffrodd gŵr y tŷ tua phedwar ac ymestyn ac agor ei geg a rhwbio'i lygaid. A sbio o'i gwmpas.

"Go fflamigan racs," meddai, pan welodd y bwrdd yn wag, "dyma'r hen stryffalgwn bach wedi bod eto."

Yr oedd hyn wedi bod yn mynd ymlaen ers misoedd. Byth er pan oedd bwyd llygod wedi darfod yn y caeau ŷd ar ôl y cynhaeaf. A chwarae teg, yr oedd ar ddyn eisio bwyd ar dywydd oer fel hyn.

Troes Bonsiach ar ei ochor a rhoi ei draed dros yr erchwyn. Teimlodd yr oerni yn gafael yn ei goes gwta a chroesodd at y tân.

"Wel go fflamigan gyrbibion," meddai, "dyma'r hen greglyn yma wedi diffod eto. Rhaid i mi fynd i chwilio am dân, ne' mi fydda i wedi rhynnu yma cyn y bora."

Trawodd ei sach amdano, ac estynnodd ddwy leuoden (baw-gwartheg wedi sychu ydi gleuod) o'r bocs wrth ymyl y tân, a rhoddodd hwy yn ei boced, ac i ffwrdd â fo i fyny'r llwybyr ar hyd y clawdd ac at efail Dic William y Go' i chwilio am golsyn.

"Tân wedi diffod eto?" meddai hwnnw.

"Yr hen sinach sâl iddo fo," meddai Bonsiach, "a hitha mor oer. A'r hen gyrbibod hen lygod bach 'na wedi byta nhorth i hefyd."

"Twt â chdi, sut na chadwi di nhw mewn lle saff?"

"'Does yna ddim lle saff rhagddyn' nhw. Mi fuom i yn 'i chadw hi o dan y gleuod yn y bocs wrth y tân, ond ma nhw wedi cael hyd i'r fan honno erbyn hyn."

"Wel sut na ddali hi nhw?" meddai'r gof.

"Fydda i yn 'i dal nhw reit amal."

"I dal nhw i gyd a'u lladd nhw ne'u boddi nhw a chael gwared ohonyn nhw."

"O na, fedra i mo'u lladd nhw chwaith," meddai yntau, "wnaethon nhw ddim byd i mi, dim ond byta, a ma rhaid i l'godan bach gael bwyd. Ga i golsyn gynnoch chi Richard?" gofynnodd ac estyn ei ddwy leuoden o'i boced.

"Helpa dy hun," meddai'r gof, a dewisodd Bonsiach golsyn mawr coch, a'i osod yn daclus ar ganol un leuoden, a rhoi'r llall arni fel caead, a ffwrdd â fo am adref dan ysgwyd y gleuod er mwyn cadw'r tân yn fyw.

Aeth adref, a chyn bo hir yr oedd tân gleuod braf yn y grât, a Bonsiach yn llewys ei grys wrth y bwrdd yn t'lino llond powlen o does.

"C'nafon," meddai, a phwniad i'r toes.

"'Nialwch," a phwniad arall.

Ac o bwniad i bwniad nes bod y toes pygddu yn barod i'w roi ar y radell yn barod i'w grasu yn dorth dan badell.

Tra oedd yn eistedd wrth y tân yn aros i'r dorth grasu, dechreuodd barf Bonsiach grynu, ac aeliau ei lygaid godi i fyny ac i lawr fel pe baen nhw ar lastig. A daeth syniad i'w ben. Cododd y munud hwnnw, ac er ei bod yn dywyll fel y fagddu fawr, aeth i fyny ar hyd y llwybyr pen clawdd at efail Dic William y Go', a golwg ddifrifol iawn arno.

Yr oedd y gof newydd orffen pedoli caseg yr Hafod a heb gau'r efail.

"Mae arna i eisio bar haearn crwn a dau stwffwl, a dolen yn un pen iddo fo a bawd yn y pen arall," meddai Bonsiach.

"Beth wnei di â phetha felly yr adeg yma o'r nos yn enw pob rheswm?" gofynnodd y gof.

"Mi wna i o'r gora â'r hen nialwch bach," atebodd yntau

"Am ddal y llygod yr wyt ti?"

"Gawn ni weld," meddai Bonsiach yn slei.

Gweithiodd y gof y bar haearn a'r ddau stwffwl iddo, ac aeth yntau am adref nerth ei draed mawr.

Cododd gwr y badell i edrych y dorth, ac yr oedd aroglau

crasu bara lond y tŷ yn codi eisio bwyd mawr arno. Ond nid oedd yn llawn parod.

I aros, aeth i ben y bwrdd a chymrodd garreg fawr a churo'r stwffwl cyntaf trwy ddolen y bar haearn i bren oedd yn sownd o dan y to yn y bachwalbant. Cododd y bar a mesur i ble y cyrhaeddai ar draws cornel yr ystafell, a churo'r stwffwl arall i bren lintar y simdde yn y fan honno. Gwenodd o glust i glust wrth edrych ar ei waith.

O'r diwedd yr oedd y dorth yn barod, a thynnodd hi o'r badell a'i throi ar y bwrdd. Wedi iddi oeri digon, yn lle dechrau ei thorri fel arfer, cymrodd ei gyllell boced a thorri darn crwn allan o'i chanol. Yr oedd yn galed fel arfer, ond yr oedd dannedd Bonsiach trwy hir arfer yn ddigon cryf ar ei chyfer, a chafodd flas dyn ar lwgu ar ei swper. Wedyn aeth i ben y bwrdd, a rhoi'r pen rhydd i'r bar haearn drwy'r twll ynghanol y dorth nes ei bod yn hongian arno fel olwyn ar echel.

"He! 'Na chi 'ta," meddai, a rhoi mymryn o irad trol ar bob pen y bar.

Aeth i orwedd i'w wely i edrych yn foddhaus ar ei gampwaith, a chyn bo hir clywodd sŵn llygoden bach yn dod o'r cerrig. Daeth allan i ganol y llawr ac edrych o'i chwmpas i bob man. O'r diwedd gwelodd y dorth a dringodd fesul tipyn i fyny'r pared at y stwffwl. Oedodd yno ac edrych yn hir ar hyd y bar yr un fath â dyn-cerdded-weiran mewn syrcas. Cododd un troed blaen a dechrau codi'r llall. Rhoddodd ei phwysau ar y bar. Ond collodd ei thraed y munud hwnnw am fod yr irad trol mor llithrig, a rhoddodd un wich fawr wrth syrthio ar wastad ei chefn i'r bocs gleuod. Crafangiodd allan a rhedeg am ei bywyd i'r nyth rhwng y cerrig.

Chwarddai Bonsiach yn aflywodraethus, ac yr oedd mor falch nes y cododd o'i wely a dechrau pobi torth arall. Yr oedd wedi crasu tair arall cyn mynd i'w wely, ac wedi cael cymaint o fwyd wrth fwyta'r canolau nes iddo deimlo yn od o ffeind wrth y llygod bach a gadael hanner y canol diwetha iddyn nhw ei gael yn y nos.

Daeth yn eira mawr y noson honno, a phan gododd Bonsiach fore trannoeth bu raid iddo oleuo'r gannwyll i gael hyd i'w esgidiau. Yr oedd y tywyrch ar y tân wedi cadw yn olau drwy'r nos hefyd, a chyn bo hir yr oedd golau-bonau-eithin yn cynnau yn llenwi'r ystafell. Ac yn dawnsio ar grystiau y pedair torth gron oedd yn hongian ar y bar haearn.

A dyna pam y bydd pobol yn Llŷn o hyd yn galw bara a thyllau ynddyn nhw yn Fara Bonsiach...

Cymeriad

Mae'n debyg mai delfryd dyheu'r gorffennol fyddai cael bod yn nifer o wahanol bersonau ar achlysuron arbennig yn eu bywyd — medru picio ar sgawt fel petai o'r naill un i'r llall. Cael bod yn John Elias yn gwerthu'r meddwon; a bod yn un o'r meddwon oedd yn cael eu gwerthu ganddo. Ac efallai fod yn gynrychiolydd un o'r enwadau oedd yn gwrthod prynu, nes eu bod yn cael eu damnio i golledigaeth dragwyddol wrth eu cymharu â'r sawl oedd yn fodlon eu prynu i gyd — meddw neu beidio. Yr hen ysfa blentynnaidd i fod yn rhywun arall ydi hi — i fynd allan o bridd a gwellt y babell hon a'i rhwyfo hi yn eangderau ffantasïau'r dychymyg.

Perthyn i gyfnodau arbennig y mae rhai o'r dyheadau hyn, a datblygiadau gwareiddiad wedi eu gwneud yn annichon bellach a gadael dim ond atgof o'u bodolaeth ar ôl. Dyna'r hen awydd hwnnw am gael bod yn daniwr ar injian trên escpres fyddai'n mynd trwy stesion y Groeslon heb stopio i newid staff. Yr oedd yn rhaid cael staff cyn medru mynd i mewn i'r stesion nesaf ar lein un trac, ond yn lle bod y portar yn sefyll ar y platfform a dal y staff i fyny fel dewin yn mynd i berfformio, a'r taniwr yn ei gipio oddi arno a gadael yr hen un yn ei law wag wrth i'r injian fynd heibio, yr oedd newid staff escpres yn berfformiad llawer mwy gorchestol. Yr oedd y staff ei hun yn wahanol i ddechrau. Yn lle bod ar siâp ffon fel staff cyffredin, yr oedd yn gylch crwn o haearn a choes arno. Byddai'r portar wedi gosod y staff newydd mewn lle arbennig a'r cylch ar ogwydd at i fyny yn wynebu'r lein ychydig ar y ffordd allan o'r stesion.

Tua'r un faint o ffordd cyn cyrraedd yr oedd lle i'r taniwr fachu'r hen staff fyddai ganddo ar y trên. Ychydig eiliadau fyddai'r holl gamp yn bara. Chwibaniad prysur. Y sŵn yn cryfhau yn sydyn. Yr injian yn dod i'r golwg a'r taniwr yn ymestyn allan dros ochor y cab fel dawnsiwr bale. Clec wrth i'r staff daro'r bachyn, ac yna yr un foment lachar a'r taniwr yn hofran wrth ben y platfform a'i fraich allan yn anelu at y cylch a'i gipio i'w ganlyn. 'Doedd 'seren wib' y llwynog hwnnw ddim ynddi hi wrth ymyl taniwr trên ecspres yn newid staff. Ond mae'r rheiliau yn gochion erbyn hyn, a'r gwellt wedi tyfu rhwng y slipars.

Wedyn mae yna ddyheadau llai uchelgeisiol ond llawn mor amhosib. Cael bod yn Ddewyrth Dafydd fyddai'n dod acw i edyrch am ei chwaer ar bnawn Sul efo beic o Eifionydd. Un distaw gynddeiriog oedd o. 'Deucorn bual ar y wefl' o fwstas ganddo, a llais meddal, distaw, yn ateb mwy nag oedd o'n holi ac yn porthi mwy nag oedd o'n draethu. Mi fyddai'n plygu'n isel dros y bwrdd wrth yfed te, ac wedi iddo orffen byddai'n dal ei gwpan rhyngddo a'r golau ac edrych drwyddi o'r tu allan at i mewn yn union fel pe byddai'n wydr ac yntau'n medru gweld drwyddo. Pam ei fod o'n gwneud? Edrych pa mor denau oedd y tsieni? Dweud ei ffortiwn y tu chwyneb allan? 'A ŵyr pam, ond byddai rhychau bach o gwmpas ei lygaid yn gwneud golwg hapus fodlon dyn wedi ei ddigoni arno wrth roi ei gwpan a'i soser ar ei blât a'r gyllell yr ochor arall i'r llwy yn bentwr bach taclus a'u gwthio ddwy droedfedd oddi wrtho fel gorffen paragraff arall yn y broses ddiddiwedd o gadw'r corff yn fyw i fagu plant a gweini ffarmwrs rhwng dwy afon yn Rhos-lan. Bodlonrwydd a beic oedd rhagoriaethau ei feddiant, ac mae'n anodd dweud pa un o'r ddau oedd yn llygad-dynnu fwyaf.

Ond am gyfnod y parhaodd apêl Dewyrth Dafydd hefyd,

ac erbyn hyn mae misoedd yn mynd heibio heb gofio dim amdano. Ond y mae yna un person yn dal yr un fath yn ei apêl o hyd, a hynny mae'n debyg am ei fod o mor ofnadwy o amhosibl. Syr Harri Morgan ydi o — y môr-leidr oedd yn poeni'r Sbaenwyr yn y Caribî. Hogyn ifanc hoff o ddawnsio yn nyddiau disgyblaeth lem cyfnod y Rhyfel Cartrefol yn Lloegr yn penderfynu dianc o'r wlad i osgoi canlyniadau rhyw ffrwgwd rhyngddo a Milwyr Cromwell. Cael ei hun ym merw'r helbulon yn India'r Gorllewin ac fesul tipyn yn ennill ei le fel dirprwy reolwr Jamaica. Pam bod yn Henry Morgan? Yn sicr nid am iddo ennill ffafr Siarl yr Ail. Nac am iddo briodi merch y llywodraethwr. Ac yn sicrach fyth, nid am iddo gael ei ddwyn yn garcharor i Lundain. Yn wir, mae'n beryg nad am yr un o'i nodweddion arwrol a'i gwnaeth yn enwog yn hanes môr-ladron, ond am iddo gael mynd yn llongwr — 'bound for three years to serve in Barbadoes'. Am iddo fod wedi cael sefyll yn y bow ar ôl hwylio allan o Fryste, a, hiraeth neu beidio, fod wedi clywed gwynt y gorllewin yn chwythu'n ffres yn ei wyneb a gweld y cymylau gwynion ar y gorwelion glas yn ei wahodd i ddirgelion y pellteroedd. Am ei fod o wedi cael gweld y llefydd pell a'r enwau hudolus, — Porto Bello, Ciwba, Y Spanish Mên, a'r Panama. Am ei fod o wedi cael agor y cistiau aur a rhedeg y tlysau a'r gemau yn llifeiriant melyn rhwng ei fysedd, a'i swagro hi drwy Port Royal ar ôl rhannu'r ysbail. Am ei fod o'n gwisgo cleddyf a hwnnw'n sgleinio yn yr haul. Ac mae'n debyg iawn hefyd, am fod Barti Ddu 'yn ei felyn gap a'i bluen goch' wedi ei ddilyn 'yn llyw ar y llong a'r criw' ar ei ôl.

Am ba hyd y pery dyhead fel hyn? Mae o'n mynd yn odiach ac yn fwy anghydnaws bob blwyddyn, ac un pryder mawr sydd ynglŷn â fo, sef bod amryw o haneswyr dysgedig yn ddiweddar wedi bod yn ymchwilio yn wyddonol oleuedig i hanes môr-ladron y cyfnod hwn. Y peryg' ydi darllen un o'r ymchwiliadau yn ddamweiniol, a bydd breuddwyd arall wedi mynd yn deilchion. A minnau druan yn ffendio fy mod i'n llawer mwy tebygol o fod yn perthyn i Harri Parri'r Peirat nag i'r Capten Henry Morgan o Jamaica a'r Panama.

Ple Dros Gomic Songs

Mae hi'n iawn ar y tonau a'r emynau — mae ganddyn nhw Huw Williams a Gomer Roberts i edrych ar eu holau nhw. Mae Meredydd Evans yn cadw llygad ar y Caneuon Gwerin. Raid i neb bryderu am y Penillion Telyn — mae'r Gymdeithas Gerdd Dant yn barod i frathu'r neb a faidd ymyrryd. Ac i frathu'i gilydd os na fydd neb yn ymyrryd. Mae gan y Canu Pop, yn ei ddolefain a'i ddirdyniadau, ei leng ar ôl lleng o warchodwyr, yn ohebwyr, yn grwpiau, yn ddilynwyr ysgytwol. Mae gan yr Opera Gyngor y Celfyddydau, ac y mae gan Bach a Beethoven a'r rheini y bonedd parchus syberwyd ymhob cenhedlaeth. Ond am y *Comic Songs* druan, 'does ganddyn nhw neb. Maen nhw wedi cael eu hesgeuluso i'r fath raddau fel mai anamal iawn y mae neb yn cofio amdanyn nhw heb sôn am sefydlu trefn i'w gwarchod a'u hamddiffyn.

Wrth gwrs, pethau drwg oeddan nhw yn eu hanfod. 'Doedd neb oedd yn canu *comic songs* yn debygol o wneud ei farc yn y byd yma, ac am y byd a ddaw — wel, fyddai yna ddim gobaith am delyn i ganu cyfeiliant iddyn nhw. Clec coesau picwyrch a rhincian dannedd fyddai'n llawer mwy tebygol.

Saesneg Cymraeg oedd iaith y *Comic Songs*, ac y mae hwnnw, gyda'i lafariaid glân diddipton a'i gytseiniaid cledion wedi mynd yn beth prin yn y byd sydd ohoni lle mae pob sbrigyn o gyhoeddwr radio a theledu wedi dysgu rowlio'i lafariaid a mingamu'i gytseiniaid cystal neu well na'r Saeson eu hunain.

Ond Cymraeg glân gloyw oedd Saesneg y *Comic Songs*.

’Doedd yna ddim arlliw o ‘w’ yn y ‘sho’ na chysgod ‘i’ yn y ‘we’ yn ‘Sho mi ddy we tw go hôm’. Ac o ran cynnwys, prin iawn y buasai’r truan oedd yn canu’i brofiad yn y geiriau yn ennill ei le yn un o nosweithiau mawr y ’Steddfod Genedlaethol. Dim ond *‘a little drink about an hour ago’* oedd o wedi ei gael ond bod hwnnw *‘gone right to my head’*. Ac yn wahanol eto i dwrw cwrw ein dyddiau ni — chwilio am rywun i ddangos y ffordd adref iddo fo y mae o. Chwilio am ffordd i osgoi mynd adref y mae cybiau penwan y blynyddoedd hyn. Ar wahân i ambell un sydd am ‘fynd yn ôl i Flaenau Ffestiniog’ rywdro, efallai, ar ôl sobri.

Mae’n siŵr nad oes fawr neb yn cofio am y Mary Brown honno yr oedd cri enaid y datgeinydd am gael bod ar ei ben ei hun efo hi — ‘O I want tw bi alôn wudd Meri Brown’. Ac er ei fod o yn dyheu am gael ei chyfarfod hi yn y tywyllwch — ‘Iff ai mît hyr in ddy darc’, am feiddio cerdded efo hi drwy’r parc yr oedd o, ‘Wul ai wôc hyr thrw ddy parc?’, ac y mae’i atebiad o mor bendant groyw ag y bu unrhyw Orffiws neu Romeo erioed, ‘Ies ai’l tel hyr shi’s ddy neisest gyrl in town’. Dyna hi, heb na gair mwys nac awgrym o ailystyr aflednais. Hwyrach nad oedd gwisg Mary Brown yn ddefosiynol barchus, na’i gwallt ‘yn barchus dynn’, ond mi oedd hi yn hogan neis, ac mi oedd hi o leiaf wedi gwisgo amdani ac nid fflachio trwy ddychymyg y bardd yn rhyw lefran hanner noeth fel yr Erica honno sy’n odli mor hwylus ac mor gambwysleisiol ag America.

Ond os yw ein gogoniant yn ein cywilydd erbyn hyn, yr oedd yna rai yn adeg y *Comic Songs* hefyd y gellid dyfynnu amdanyn nhw — ‘Duw rhai yw eu bol’. Dyna’r truan llwglyd hwnnw oedd yn crefu ar i’r iâr ddiwallu ei anghenion tymhorol o — ‘Chick Chick, chick, chick chicken, Lê e lutl eg ffor mi’. Mae’n rhaid ei bod hi yn iâr hirymarhous ddychrynllyd — mi fuo’r canwr yn dal i grefu am fisoedd

— nes bod y bin wedi gwisgo'r record at y gwaltars. Ond mae yna rywbeth tragwyddol ei barhad fel yna mewn celfyddyd fawr. 'Am byth y ceri hi', meddi John Keats wrth y Groegwr ifanc yr oedd ei lun wedi ei osod yn llonydd ddisymud ar yr wrn hwnnw. 'A theg y pery' meddai am y ferch yr oedd y carwr ar fin ei chyrraedd, ond nas cyffryddai byth.

Rhywbeth digyfnewid, disymud felly ydyw lle y digwydd y *Comic Songs* hefyd. Dyna'r lleuad — pan oedd hi yn lleuad mewn gwirionedd cyn i ddynion ddechrau hel eu traed hyd-ddi hi — nid y lleuad oedd yn tywynnu yng Nghymru rwan ac yn y man oedd hi. 'Doedd 'lleuad Carolina' ddim yn llenwi nac yn newid, dim ond dal i dywynnu'n ddiderfyn lawn ar 'ddy wan hw wêts ffor mi'. Ac mae'n siŵr ei bod hithau'n dal i ddisgwyl byth — wrth ddellt rhyw ystafell wyngalchog drofannol. Un o'r rhai nad adawodd enw oedd hi. 'Roedd y lleill yno hefyd — Ramona, Charmain, Rosanna, Angeline — a'u gwledydd a'u trefi mor amrywiol â'u henwau: Vienna, Heidelburg, Hawaii, Shanghai, Caprî, mynyddoedd y Rockies, Ynysoedd y De.

Ond 'does neb yng Nghymru heddiw yn malio dim amdanyn nhw yn ôl pob golwg — neb yn eu hanwylo a holi'u hanes. Maen nhw yn rhy hen i ennyn diddordeb y Swyddfa Gymreig; yn rhy ifanc i gael lle yn Sain Ffagan. Dydyn' nhw ddim digon tywyll i gael sylw'r cylchoedd llenyddol a'r beirdd, a dydyn nhw ddim digon sych i'r Brifysgol eu mabwysiadu. Maen nhw'n rhy ddrwg i'r enwadau crefyddol, yn rhy dda i'r grwpiau pop. Ac os na ddaw rhyw gymwynaswr mawr yn sydyn, mi fydd y cof Cymraeg amdanyn nhw wedi mynd i ebargofiant. Mor hawdd ydi gadael i'r moch ruthro ar ein gwinllannoedd.

Rigins

Pan fyddai chwarelwyr y pentrefi yn Eryri yn tynnu eu dillad gwaith ar ôl swper chwarel gyda'r nos a rhoi trywsus brethyn a chrysbas amdanyn yn lle'r melfared rhiciog a'r crysbas lliain — 'newid' fyddai'r gair. Siwt ail fyddai honno — digon da i fynd i rodianna neu i oedfa noson waith neu i'r dref ar bnawn Sadwrn. Dim ond y Sul neu gynhebrwng neu briodas fyddai'n ddigon o achlysur i beri estyn y siwt orau o'r gestar drôr a'i thynnu o'i phlygiad a'i chamffor, iddi gael dangos ei chotwm a'i steil am megis 'un funud lachar' chwedl y bardd, cyn ei rhoi yn ôl yn niogelwch y tywyllwch. 'Newid' y byddai pobol o'r dillad ail i'r dillad gorau hefyd yr un fath ag o'r dillad gwisgo i'r dillad ail.

Ond yr oedd pobol yn Llŷn yn llawer mwy lliwgar eu hymadrodd yn y cyswllt. Nid 'newid' y byddan nhw, ond tynnu a rhoi eu rigins. Ar ôl gorffen golchi llestri-cinio ganol-dydd dydd Sul, sychu'r bwrdd a tharo brws tua'r tân, molchi slempan yn y tŷ llaeth neu'r bwtri, mynd i'r llofft i 'rigio' y byddai gwragedd ffermydd fyddai'n mynd i'r oedfa brynhawniau braf yn y Gwanwyn a dechrau haf. Ac mi fyddai'n rhaid mynd i'r llofft wedyn hefyd ar ôl dod adref i dynnu'r rigins cyn dechrau hwylio te.

Mae'n debyg mai dylanwad y môr oedd i'w gyfrif am y term. Pan gafodd y bachgen bach hwnnw a glywodd y blociau'n gwichian a 'Dafydd Jones' yn gweiddi ym Mhortinllaen, ganiatâd i fynd yn llongwr iawn ar Fflat Huw Puw, mi gafodd ei atgoffa hefyd y byddai yn cael cap pig gloyw a sgidia bach a menig, ac mai 'llong gŵr bonheddig' ydoedd Fflat Huw Puw. Ond, yn ôl ei addefiad ei hun yn ddiweddarach, yr oedd o am fod yn fwy o ddili-dô nag o ŵr bonheddig, achos yr oedd o am brynu 'yn y Werddon' sane sidan, a 'sgidie bach i ddawnsio a rheini â bycle arian' — rigio clown yn fwy na rigio gŵr bonheddig. Prin felly ei fod o'n ffitio'r patrwm, achos yn sicir ddigon, nid pobol ysgafala eu hymddygiad oedd yr hen gapteiniaid llongau hwyliau.

Mi ddringodd aml i fachgen o Lŷn i fod yn gapten a chael ei diced, ac ambell un yn medru dweud ei fod o nid yn unig yn *master* ond yn *'extra master square rig certificate'* — a 'doedd yna ddim gradd Prifysgol nac anrhydedd llys a allai roi'r osgo yn y cerdded a'r awdurdod yn y llais, a'r edrychiad yn y llygad a'r sythiad yn y cefn oedd yn perthyn i'r 'Ciaptan' pan fyddai ar dir sych a rhamant gwledydd pell yn diferu o'i gwmpas. Os oedd o yn ddyn gwahanol iawn ar fwrdd ei long lle'r oedd ei air yn ddeddf a lle'r oedd corwyntoedd cefnforoedd y byd wedi chwythu drwy'i farf gringoch, chwedl y bardd eto, yr oedd o'n ŵr bonheddig bob modfedd ohono pan ddoi adref, boed o yn ei gap pig gloyw a'i frêd neu yn ei het feddal a'i frethyn main.

Y 'Ciaptan' fu'n codi'r tai mawr, y *Bay View* a'r *Haven* a'r *Moorings*, â'u ffenestri bwaog ar bennau'r gelltydd at orwel y môr, a chadernid eu cerrig yn herio rhyferthwy'r *sou'westerns* fyddai'n chwythu'r heli yn gawodydd llwydion hyd eu gwydrau. Mi fyddai'n medru fforddio cadw dyn yn yr ardd hefyd am gyfnodau prysur, a chadw morwyn yn y tŷ drwy'r flwyddyn i godi'n fore i olchi stepiau'r drws ffrynt a llnau'r nocar a pholishio canllawiau a ffyn pits-pein y grisiau. Mi fyddai yna bolyn fflag mawr gwyn ar lawnt yr ardd ffrynt, a'r fflag yn cyhwfan arno fo pan fyddai'r 'Ciaptan' adref o'r môr. Mi fyddai'r holl le yn troi yn rhyw fath o long yr adeg honno hefyd — y 'giali' oedd y gegin a'r *state-room* oedd y parlwr ffrynt, ac i fyny y *gangway* yr

›edd mynd am y 'byncs' — y gwlâu plu mawr meddal ar
ätresi spring, a'u traed a'u pennau o fahogani o wolnyt
:erfiedig.

A beth bynnag fyddai hanes moes a buchedd y 'Ciaptan'
›an fyddai ar fwrdd ei long neu ym mhorthladdoedd Ewrop
– Antwerp, Hamburg, Amsterdam — mi fyddai'n gwbwl
ldiargyhoedd ei fuchedd tra byddai gartref — yn bwyta'i
recwast yn y 'giali' ac yn cysgu'r nos ar ewyn tonnog y
;wely plu. Ac yn unol â'i le a'i safle, mi fyddai'n rhaid gofalu
›od gwraig y 'Ciaptan' wedi ei rigio'n weddus hefyd, ac yn
:erdded ar faes mor osgeiddig ag y byddai ei long yn cerdded
lan awelon meddal Môr y De.

Yr oedd costiwm bach a thôc a thimpan osod wedi mynd
ıllan o'r ffasiwn, ac yn eu lle yr oedd y bodis byr wedi dod,
yn blêts mân neu fwclis drosto, a'i doriad byr yn gwneud
/ canol mor fain â gwenynen. Y sgert laes gwmpasog a'r
lathenni o ddeunydd ynddi yn sgalops ac yn fflownsus i
;yd. Llawes tynn, tynn o'r arddwrn i fyny'r fraich a rhes
ıir o fotymau'n eu cau. Bycram a whalbon i gadw'r bodis
yn ei siâp, a rhes o fachau dolenni i'w gau yn dynn ac yn
ıchel am y gwddw. Dyna'r math o ffrog i'w gwisgo i gael
ynnu llun wrth fynd ar fordaith i Hamburg — y 'Ciaptan'
yn eistedd fel brenin ar ei orsedd yn ei frêd a'i fotymau,
ı'r wraig yn sefyll wrth ei ochr a'i llaw ar ben llyfr bach
ır fwrdd uchel fel un fyddai'n dal aspidistra. Yr oedd côt
yfiad yn beth crand hefyd. A bwa plu. Ond yr het oedd
' gogoniant, yn flodau ac yn ffrwythau ac yn blu drosti.
3yddai eistedd y tu ôl i wraig y 'Ciaptan' yn y capel nos
Sul fel canu mawl yng ngerddi Babilon.

Mae'r hetiau a'r llong a'r 'Ciaptan' a'r wraig wedi mynd.
Dim ond Kate Annie, y ferch, sy'n *Bay View*, wedi cael
'sgol breifat a dysgu Saesneg — ond yn ddi-steil, yn ddi-
›riod, ac yn ddi-rigins.

Hanes Rhyw Iâr

Os oes rhinwedd yn y gwir, mae'r stori yma yn deilwng iawn gan mai ffeithiau moel ydi'r deunydd.

Iâr gyffredin ydi hi — gyffredin iawn a deud y gwir — achos ŵyr hi na neb arall pwy oedd ei mam hi heb sôn am bwy oedd ei thad hi. Mae'n debyg iddi hi weld golau trydan am y tro cyntaf erioed pan wthiodd ei phig trwy blisgyn ei hŵy oedd ar ei wely dierchwyn unig ar drê inciwbetor otomatig un o ddeorfeydd swydd Efrog. Welodd hi ddim golau dydd nes ei bod hi'n gyrru am ei dwyflwydd oed, achos yr oedd hi yn rhan annatod o'r broses ddiwydiannol dechnegol, ddatblygedig wyddonol o gynhyrchu wyau. Iâr batri oedd hi.

Os oes yna ramantu a gwrthramantu ym myd ieir, mae'n siŵr fod ieir batri yn rhamantu mwy na'r gweddill, achos y mae rhyw ran o anatomi iâr batri yn cyffwrdd â gorwelion gweladwy y byd sydd o'i chwmpas bob tro y mae hi'n symud crib neu gynffon. Ac wrth i ddiwrnod ar ôl diwrnod fynd heibio heb ddim byd yn digwydd ond byta a dodwy a dodwy a byta ar ei chwrcwd yn ei chell, mae'n rhaid ei bod hi wedi breuddwydio lawer gwaith wrth edrych allan o'r tu ôl i'r barrau heyrn, a meddwl pa gredigaeth ddieflig o ffawd a thynged oedd y deudroed blewog diadain oedd yn dod i'w hysbeilio o ffrwyth ei hymysgaroedd bob dydd. 'Doedd ganddi hi ddim gobaith i gyrraedd diben ei bodolaeth yn y mil blynyddoedd o dan amgylchiadau felly. 'Doedd ganddi hi ddim gobaith p'run bynnag a deud y gwir, achos 'does 'na ddim ceiliogod mewn batri — dim byd ond, fel y dywedodd y bardd, 'llithro i'r llonyddwch mawr yn ôl' i ddisgwyl iddi hi ddod yn amser dodwy ŵy diffrwyth arall. A'r llaw flewog yn cario hyd yn oed y rheini i ffwrdd. Prin ei bod hi wedi bod yn werth mynd trwy gyfnodau anodd y troi o fod yn gyw blewog i fod yn hengyw heglog i fod yn gywen bluog i fod yn ddim byd yn y diwedd ond dant yng nghocos peirianwaith yr atgynhyrchu dipwrpas. Ond 'doedd ganddi hi ddim dewis. A gan nad oedd hi wedi gweld na phrofi dim arall, dyma, iddi hi oedd byw yn y byd. Nes y daeth hi yn amser stopio dodwy.

Yr adeg honno mi aeth y golau yn llai a'r bwyd yn brinnach a'r dŵr yn futrach, a hithau ynghyd â gweddill trigolion y batri yn siŵr o fod yn teimlo mor bryderus a diobaith ag y teimlai'r preswylwyr cyntefig hynny yn rhanbarthau'r Gogledd wrth weld y dydd yn byrhau ym mis Tachwedd, a dim sicrwydd ganddyn nhw nad hynny oedd am ddal i ddigwydd nes y byddai'r haul wedi machlud ryw bnawn i beidio â chodi byth wedyn. Ond ar ôl yr hirlwm hwnnw yn y cwt ieir, mi ddaeth y newid fel huddyg i botes ryw bnawn, a'r deudroed yn dod â nifer o'i gymheiriaid efo fo i'r cwt yn eu tro, a drysau'r celloedd yn cael eu hagor, a'r ieir sgrechlyd yn cael eu taro mewn sachau fesul deg neu ddwsin i gael eu cario oddi yno. A dim ond sŵn eu chwythu nhw i'w glywed ar ôl cau cegau'r sachau. A chlochdar y deudroed a'i gwmpeini rheglyd.

Mi ddaeth ei thro hithau yn y diwedd. Sbel anghyfforddus yn y sach, a bôn aden y nesaf ati yn pwyso ar ochr ei chorn gwddw o dan ei thagell. Ond pan lympiwyd hi a'r naw ar hugain arall o'r sachau o flaen y ffenest yn y beudy gwag oedd yn mynd i fod yn gartref dros dymor iddyn nhw — yr oedd hi yn rhydd am y tro cyntaf erioed. Ond ar ôl misoedd y caethiwed yr oedden nhw yn symud yn debycach i lyffantod nag i ieir — rhyw hanner cerdded a bygwth hedeg a syrthio ar hyd a lled fel dynion meddw. Rhewgell a phopty oedd yn aros y cwmni i gyd mwya'r gresyn, ond wrth lwc fuo yno ddim ias o awyrgylch na Belsen na Siberia yn y beudy yn ystod eu haros yno. A rhywdro yn nechrau haf mi aethant i ffordd yr holl ddaear. Y cwbwl ond pump. A'r rheini, nid o ddewis na bwriad dynol, ond am nad oedd y diwrnod yn rhoi er bod y dydd yn 'mestyn. A thrannoeth, yr oedd y bodiau a'r bysedd oedd wedi bod yn pluo mor friwedig fel nad oedd hi'n werth meddwl am fynd i'r afael â phump Weian-dot. Ac felly yr arbedwyd eu bywydau nhw er i'w tynged fod yn y fantol am ddyddiau nes i rywun ddod i'r tŷ un canol dydd efo'r newydd cynhyrfus — 'Mae'r ieir wedi dodwy.' Yr oedd yno ddau ŵy ac mi achubodd y ddau einioes y pump. 'Roedd acw sŵn atgofus balchder clochdar iâr-newydd-ddodwy am y tro cyntaf ers blynyddoedd, ac er mai dim ond pump oedden nhw, 'roedd yr wyau yn hel at ei gilydd ac yn rhoi digon o hyder i fedru sgwrsio yn lled broffesiynol efo ffermwyr ieir cydnabyddedig. "Oes acw ddodwy?" "Oes wir, yn ddygyn. Oes yma?" "Wel oes, yn syndod," a brysio i ddeud wrth y pumcant mai 'dim ond pump sydd 'ma ychi' cyn iddo fo ofyn.

Pan chwythodd gwynt un o stormydd-dechrau-haf ffenest y beudy i mewn, mi agorodd cyfle i'r pump fynd i weld y byd. Yn betrus, fusneslyd ar y dechrau heb fynd yn rhy bell i fedru rhedeg yn ôl i ddiogelwch y beudy pe byddai rhyw beryg yn bygwth. Ond fesul tipyn, yn hyfach ac yn bowldiach — o dan y clawdd drain yng nghae cefn y beudái, a hyd yn oed o'r golwg i'r caeau uchaf. Dod adref i gysgu, a'i chychwyn hi wedyn dan siarad gyda'i gleuad hi drannoeth. Ond fel mae'n digwydd mor aml i'r gwan a'r diamddiffyn, rhyw fore ddaeth dim ond pedair i nôl bwyd. A dyna fu'u hanes nhw, fel y deg o ddynion duon bach, nes cyrraedd y pennill olaf — 'a gadael dim ond un'.

Disgwyl wedyn am bythefnos neu dair wythnos ac y

byddai hithau 'wedi mynd'. Ond mae dwy flynedd er hynny erbyn hyn, ac y mae hi mor heini ac mor fywiog ag y bu hi erioed. Er, anamal y bydd hi yn mynd o olwg y tŷ rwan. Mae hi'n dod i'r drws i ddeud pan fydd arni hi eisio bwyd, a gwrando â'i phen yn gam ar y canu pop a'i ddynwared o yn ddigon llwyddiannus, ac mae'r ast a hithau yn eistedd ar ben y clawdd i sbio o'u blaenau am oriau — y naill wedi bodloni i fodolaeth y llall. Ys gwn i pam mai dim ond y hi yn unig sydd wedi byw o'r deg ar hugain ddaeth acw? Ac o'r chwe chant oedd yn y batri?

Rhyw bythefnos cyn y 'Dolig yr oedd hi'n bwrw'i phlu fel cawod eira ddisberod nes ei bod hi yn un sgyffinllan denau, dinnoeth a'i chroen hi yn y golwg. Ond erbyn hyn mae hi wedi magu plu newydd. Ac mae hi yn lân, wyn, glws fel sidan.

Wrth gwrs, mae'r Glas yn bownd ohoni hi ryw ddiwrnod, a diân i, er mai dim ond iâr ydi hi, mi fydd ei lle hi'n wag.

Corn Bîff

Mae yna ddirgelwch oesol mewn Corn Bîff. 'Dydi o, mwy nag yr oedd yr 'Hen Goleg' ym Mangor, 'ddim fel y buo fo', ond y mae o wedi dal ei dir yn rhyfeddol o dda yn erbyn nifer o fygythiadau sydd wedi peri i lawer cymrawd hoff iddo fynd yn rhan o bethau fel 'gogoniant y gorffennol', 'cof yr hil', a'r 'hen ffordd Gymreig o fyw'. Raid i chi ddim ond meddwl am frywes, llymru, sucan gwyn, maidd ŵy, sgotyn ac uwd blawd ceirch. 'Chydig fel yna i'ch atgoffa chi. Bwydydd maethlon, iachusol yn eu dydd, ond pethau sydd wedi mynd i ffordd yr holl ddaear. Ac ar ôl cadw cenedlaethau o drigolion Gwlad y Gân yn fyw — wedi methu byw eu hunain.

Ond mae Corn Bîff yn wahanol. 'Roedd o yn Siop John Hughes. Mae o yn Siop Doris. 'Roedd o yn 'Williams 80', yn cael ei estyn yn foesgar yn ei dun neu yn cael ei sleisio yn ddefosiynol daclus. Mae o yn y Siopau Mawr i chi gael gwneud fel y mynnoch chi efo fo — ei gymryd o neu beidio. Ac y mae'r rheini yr un mor anystyriol o Gorn Bîff ag y maen nhw o bobol. Mae'r drws yn agor o'n blaenau ni wrth i ni ddynesu ato fo, ac 'rydan ni'n ddigon diniwed i feddwl bod yna garedigrwydd ac ystyriaeth a chroeso i ni mewn peth felly. Ac wrth i ni gerdded drwyddo yn lartsh ac yn ffroenuchel, 'rydan ni'n meddwl fod yr holl ogoniant lliwgar, goleuedig wedi cael ei greu er ein mwyn ni. Druan ohonon ni. Gresyn na fydden ni yn sylweddoli y byddai'r un peth yn union yn digwydd petai llo tarw yn dynesu at y drws. Mi agorai yr un mor esmwyth. A hwyrach y câi llo yr un croeso 'tai o'n digwydd bod yn gwthio trol efo'i drwyn neu gario basged ar ei gorn. Achos dim ond bachau i gario basgedi ac estyn nwyddau ydan ninnau.

Nid diraddio a dibersonoli a diunigoliaethu pobol yn unig mae'r llefydd yma chwaith. Mae'r un peth yn digwydd i'r nwyddau eu hunain. Yr oedd potel sôs yn botel sôs pan oedd hi yn sefyll ar ei phen ei hun ar ymyl silff rhwng potel finag a photel nionod picl. Mae'n wir y gallai yna fod hanner dwsin neu fwy o rai yr un fath yn union y tu ôl iddi, ond yr un arbennig honno oeddech chi yn ei phrynu. Hi oeddech chi wedi weld. Hi oeddech chi wedi ddewis. Arni hi yr oeddech chi wedi rhoi eich bryd. Eich ewyllys chi oedd wedi peri ei bod hi yn cael ei hestyn oddi ar y silff a'i gosod ar y cownter o'ch blaen chi. A chi oedd yn mynd i'w chynnal a'i chadw nes y byddai wedi gwagio. Peth gwahanol iawn ydi nesu at fataliwn unffurf o boteli. Waeth i chi luchio'r naill mwy na'r llall i'r drol. Dim ond peiriant cyrraedd ac estyn ydach chi.

Ond mae'r anghenfilod sy'n ein diraddio ni yn diraddio popeth arall hefyd. Gan gynnwys Corn Bîff. O, mae i'w weld yn y cownter rhew yn y gornel bellaf un y tu draw i'r ham a'r tyng a'r tyrci a'r chicn rôl. Ond mae ei arbenigrwydd o wedi mynd, achos dydi o mwy na'r gweddill, yn ddim ond pentwr o sleisiau unffurf, fflat — fel plant ysgol mewn dosbarth neu Aelodau Seneddol yn Nhŷ'r Cyffredin.

Mae'n debyg mai newid siâp y tun oedd y ddyrnod gyntaf a ddaeth i'w ran. Ar y dechrau — yr un fath ag efo pobol — yr oedd y ddau ben yn wahanol. Un yn fwy na'r llall. Ond yn enw hwylustod ac effeithiolrwydd a lleoleiddio, aeth rhywrai ati i wneud y ddau ben yr un faint. Ac wedyn 'doedd yna ddim gwahaniaeth rhwng Corn Bîff ag erchyllterau fel Spam. Ond yr oedd o yn ffitio i'w le ar y silffoedd yn well, ac yr oedd hi'n haws codi teisi ohonyn nhw ar bennau'i gilydd. Mae yna ychydig o rai o'r siâp gwreiddiol ar ôl, ond wedi cael eu gadael hyd y gwaelodion heb ddim o'r urddas oedd iddyn nhw gynt. Mae'n bwysig ein bod ni i gyd yn ffitio i'n lle.

Mae'r awdurdodau cydnabyddedig yn amrywio peth yn eu datganiadau ynglŷn â tharddiad Corn Bîff, ond y duedd gyffredinol ydi lleoli ei gychwyn ymysg y llwythau cynnar o Indiaid yn America lle'r oedd hi'n arferol i gladdu darn o gig mewn grawn a fyddai'n cadw'r awyr allan ac yn peri bod pobol yn medru cadw eu hafrad erbyn eu rhaid. A rhyw elfen felly sydd wedi bod ynddo fo ar hyd y blynyddoedd. Mi fedrwch agor tun Corn Bîff os eiff hi i'r glem. Mi agorwyd nhw wrth y miloedd yn ffosydd Ffrainc pan oedd Pregethwr Sir Fôn yn hel yr hogia i'r rhyfel. Mi adeiladwyd nhw yn bentyrrau anferth mewn ysgolion a neuaddau a festrïoedd capeli y tro diwetha yr oedd Prydain Fawr yn ymladd i ddiogelu rhyddid i gael gwneud pawb yn gaeth. Mi fu yn un o golofnau yr Ymerodraeth pan oedd ei haul ar ŵyr. Ac mi safodd rhwng cenedlaethau o blant dynion a phangfeydd newyn a llwgfa ganol dydd Ddydd Sadwrn.

Ac am yr enw, a'r purwyr sydd am fynnu nad yw 'bîff' yn air Gymraeg. Fe ddaeth 'beef' i'r Saesneg pan oedd yr iaith Ffrangeg yn bygwth disodli'r Saesneg. Cig eidion oedd o i'r brodorion oedd yn ei fagu, ond 'beef' oedd o i'r meistri oedd yn ei fwyta. Pam na chawn ninnau ddweud 'bîff' er mwyn dangos y medrwn ni fenthyca oddi ar ein gormeswyr?

Perorasiwn un o bregethau cofiadwy dechrau'r ganrif oedd cyfres o gwestiynau ac atebion am y Nefoedd. 'Fydd yna goed yn y Nef? Bydd, mi fydd yna goed o gymeriadau cryfion yn y Nef. Fydd yna afonydd yn y Nef? Bydd, mi fydd yna afonydd o hedd yn y Nef. Fydd yna ffyrdd yn y Nef? Bydd, mi fydd yna ffyrdd o balmentydd aur cyflawniadau dyheadau'r Saint yn y Nef. Fydd yna raffau yn y Nef? Bydd, mi fydd pennau rhaffau'r addewidion wedi eu clymu wrth gadwyni carchar angau yn y Nef.' A phe byddai rhyw Philistiad mwy anefengylaidd na'i gilydd yn beiddio gofyn: 'Fydd yna fynyddoedd yn y Nef?' gallai'r ateb yn hawdd fod yn 'Bydd, mi fydd yna fynyddoedd o ddilorniant yr ugeinfed ganrif o Gorn Bîff yn y Nef'.

Y Sgŵl a'r Sgolor

Yn gam neu'n gymwys, a gorau oll, neu mwya'r gresyn, mae hanner can mlynedd er pan oedd aml i sgolor, diradio a dideledu, yn ei gwneud hi am yr ysgol a sŵn clepian gwadnau'i glocsiau yn eco rhwng y cloddiau cerrig. Chafodd o na miloedd o'i gymheiriaid oedd yn ffagio'u ffordd i ugeiniau o ysgolion at gannoedd o ysgolfeistri mo'u curo fel arfer y diwrnod hwnnw. Y rhai oedd yn hwyr, y rhai oedd heb ddysgu'r tebls, y rhai oedd yn byta fferis, na hyd yn oed y rhai oedd yn rhegi ac yn cwffio. 'Roedd y daffodil oedd wedi eu pinio mewn crysbas a jansi yn dweud ei bod hi'n ddydd Gŵyl Dewi, a hynny am ryw reswm rhyfedd yn cyhoeddi cadoediad yn y rhyfel rhwng byddinoedd temlau dysg a'u hymdrech yn erbyn cadfridogion rhengoedd yr anllythrennog a'r di-syms. Heddwch i gael 'consart' drwy'r pnawn, a chyfle, o dan wenau cynnil y sgŵl a'r bodau eraill oedd bob amser yn hofran o'i gwmpas, i sawl sgolor, a'i stumog fel jeli, gael tystio i werth 'mynd o Gymru fach ymhell, er mwyn cael dod i Gymru'n ôl a medru caru Cymru'n well'.

Yr oedd yno bwyslais ar garu. Hogan bach â brychni haul ar ei thalcen hi er mai'r dydd cyntaf o Fawrth oedd hi, a blaenau'i thraed hi yn troi allan, am 'garu pob erw o hen Gymru wen, ei chreigiau a'i nentydd di-raen'.

Aros yr oedd y 'mynyddau mawr' a'r gwynt yn dal i ruo drostyn nhw. Y Brenin Arthur yn gorffwys yng 'nghyfrin ogo'r tylwyth teg wrth odre'r dal Elidir'. Syr Lawrence Berclos a'i gledd yn sglein i gyd. 'Melltith ar gastell Llawhaearn a'r felltith yn fendith i'w had.' Madog a'r tair ar ddeg yn ei chychwyn hi am y Mericia.

Ond pnawn yn unig oedd o y tu mewn i furiau'r sefydliad. Drannoeth mi âi popeth yn ôl i'r cefnfor Seisnig Prydeinig, ac os nad oedd digon o wynt yn y sgolor i nofio — wel boddi. A mynd i lawr fu hanes llawer ohonyn nhw i ebargofiant *bottom of the class*.

Yr oedd yna fyd gwahanol iawn y tu allan. Byd lle'r oedd y sgolor yn troi dalennau 'Cymru'r Plant' i chwilio am ei enw ymysg rhestr aelodau newydd Urdd Gobaith Cymru Fach, a byd lle clywai sôn am Y Blaid Genedlaethol. A'r tu allan i Gymru yr oedd y byd yn lle diogel iawn a'r rhyfel wedi bod, a'r sgolor a'i debyg yn cael medi o ffrwyth cynhaeaf cyfundrefn Seisnig oedd dros hanner cant oed. Yr oedd o hefyd yn cael cyfle i hau ar gyfer — beth tybed?

Chwarter canrif yn ddiweddarach 'roedd y sgolor yn hanner sgŵl ac yn un o'r bodau yn hofran y tu ôl ar ddydd Gŵyl Dewi erbyn hyn. 'Roedd o hefyd wedi bod yn fawr ei ymdrech yn helpu i drefnu'r Eisteddfod. Ac eisteddfod oedd hi — nid rhyw gonsart ceiniog a dimai — yn dechrau efo rhagbrofion drwy'r bore a chyfarfod yn y pnawn a chyfarfod gyda'r nos. A'r Sgŵl ei hun yn eistedd â'i gefn atyn nhw yn y rhes flaen efo'r llywodraethwyr a'r penaethiaid, yn Gymry i'r carn — drwy'r dydd.

Yn y jim a'r flesyr yr oedd y daffodil erbyn hyn, ond yr oedd y talcennau yn y rhagbrofion mor ddisglair ag erioed wrth i'r perchenogion fynnu datgan eu hawl ar y Gymru fach oedd yn dal yn llawn o lus a llynnoedd a mynyddoedd mawr a dewrion Gwalia. 'Doedd y caru ddim mor syml chwaith. Mae'n gorwedd yn y Gymru hon 'lwch holl saint yr oesoedd' ac y mae ganddi hi grafangau sy'n dirdynnu. Mae gwaedd yn y coed a gwaed ar y cerrig a bygwth yn sŵn y gwynt sy'n chwythu y tu allan i ffenestri'r neuadd. Mae yna leisiau dieithr hefyd yn hawlio eu rhan o 'Gymri foch, brow y llis a'r llonwoedd'.' Distawodd y bomiau a chwythodd seiliau gwareiddiad ond arhosodd y plant oedd wedi dod i'w hosgoi i dyfu i fagu plant i fagu plant...

Drannoeth wedyn, byddai eisio mynd yn ôl at yr Histori a'r Jograffi a'r Inglish yr un fath â ddoe, ond am un diwrnod llachar bu yntau'r sgolor, byw. Yn y byd y tu allan i'r muriau yr oedd yr hen Blaid Genedlaethol wedi mynd yn 'Blaid' — wleidyddol, ac Urdd Gobaith Cymru Fach wedi mynd yn 'Urdd'. Ond a chysidro beth oedd y Sgŵl a'r sgolor yn ei fedi 'roedd yn syndod fod yr had oedden nhw yn hau mor lân a diefrau.

Eleni eto, mi fydd gŵyl y Sant yn cael ei dathlu os na fydd undeb y disgyblion yn protestio neu'r cyrff cyhoeddus yn gwrthwynebu neu'r awdurdodau yn anghymeradwyo. Ac fel arfer mi fydd yr ysgolion ar flaen y gad yn y dathlu, a'r daffodil — os byddan nhw wedi agor — mor llachar ag erioed yn y bolo a'r rangler. Hwyrach na fydd y llynnoedd ddim mor wlybion na'r llus mor dduon. Hwyrach na fydd y mynyddoedd ddim mor fawr ar ôl iddyn nhw gael mastiau teledu ar eu pennau. Fydd llwch y saint ddim yn ei chôl hi chwaith, ac mi fydd ei chrafangau hi yn debycach o fod yn dirdynnu yn y boced nag yn y fron. Mi fydd y sgŵl yn chwerthin — o raid os na fydd o'n dewis cydymffurfio â gogwydd blodau'r oes. Ac mae'n ddigon posib y bydd rhai o'r bodau fydd yn hofran yn y cefndir yn berfformwyr eu hunain wedi eu cordeddu o gwmpas gitâr yn cyfeilio i'r cantorion pop fydd wedi clywed yr awel yn dweud yn dawel fod y "wlad hon yn eiddo i ti a mi". Fydd neb "isio bod yn Sais" ac y mae'r lleisiau dieithr wedi troi yn 'ddysgwyr' — mawr eu parch. Mae'r talcennau sglein a'r ciw pî yn brinnach a'r rhai â'u llaeswallt ar eu gwar yn amlach. Ac y mae'r Gymru fach oedd mor hawdd ei charu wedi troi yn boen ac yn bitsh ac yn butain, ac yn dristwch sy'n cywilyddio'r tadau yn eu heirch. Nid oes dangnefedd yn ein dyddiau ac o'n hôl y mae'r rhin. 'Gwae ni ein good-morrow lle bu gad a meirwon'.

Y tu allan i'r muriau, mae'r Blaid yn wleidyddiaeth a'r Urdd yn arian. Mae corlan y mynyddoedd yn llawn o ddisgiau treth ac arwyddion ffyrdd ac offer teledu. Biti na fuasai yna un sgolor yn rhywle i adrodd

Cymru fydd; hi fydd yn lanach,
  Ardderchocach fyrdd na'r rhain;
Boed dy gerdd yn llawen heno,
  Cân am honno, fachgen main.

ac un sgŵl i wenu a nodio'i ben arno.

Dyn y Bibell

Syr T.H. Parry-Williams ac Oscar ei frawd

Yr oedd byw ar y llethrau uchel yn Eryri — llefydd fel Rhosgadfan, Carmel a Nebo — fel pe baech chi wedi cael eich hongian ar bared y mynyddoedd, a dim byd ond creigiau'r eithin mân a byrwellt Gwanwyn y tu ôl ichi a'r byd gweladwy i gyd o'ch blaen chi yn ei amrywiaeth o dai a phentrefi a chaeau a mŵg y trên yng Nghoed y Glyn. Byd yn cyrraedd hyd at Ddinas Dinlle a thu hwnt i'r lle'r oedd glas y môr yn mynd ar goll yng nglas yr awyr uwch ei ben. Ac yr oedd hynny yn gwbl ddealladwy a hawdd ei amgyffred — diffiniau diderfyn dragwyddoldeb. Ond yr oedd y mynydd yn wahanol.

Y fo oedd cartre'r bodau gorisnaturiol hynny oedd byth a hefyd yn bygwth diogelwch a hyd yn oed yn pergylu bodolaeth. Rasmws oedd yn byw yn y twll gro yr ochor uchaf i'r pentref, a barf goch a mwstas du ganddo fo, a'i brif hobi yn ei oriau hamdden oedd dod i nôl plant bach oedd yn cau mynd i'w gwlâu — a'u byta nhw. Yr oedd yna ryw derfynolrwydd melltigedig ym modolaeth Rasmws.

A dau arall yn byw yn y mynydd, rhywle yng nghyffiniau Pant yr Eira a'r Ogof Ddu, oedd Siôn a Siân Tangrawen. Anaml y byddai Siôn yn dod i lawr i'r pentref o gwbwl, ond yr oedd Siân o fewn cyrraedd galw yn barhaus — siôl bach dros ei gwar, cap stabal am ei phen, ffon yn ei llaw, a'r sach ar ei chefn, ac yn hwnnw yr oedd hi yn mynd â phlant bach i ffwrdd os oeddan nhw yn cau golchi eu pennagliniau neu yn cymryd tamed bach o frechdan a thamed mawr o ŵy. 'Doedd yna ddim elfen o gianibal yn Siôn na hithau fel oedd yn Rasmws. Cael eich cario i ddiffeithwch yr anwybod y tu allan i'r sicrwydd a'r diogelwch oedd yn y gegin gefn oedd bygythiad Siôn a Siân Tangrawen. Mae'n siŵr fod safonau seicolegol tad a mam a brawd mawr oedd wedi creu'r fath fodau difelig yn gyrbibion gandryll. Ac eto, hwyrach fod eu safonau moesol nhw yn nes i'w lle na goddefgarwch meddal y genhedlaeth drofaus hon.

Er bod y mynydd yn gartref i'r bodau rhyfedd yma, yr oedd yna bobol o gig a gwaed, bodau meidrol, yn byw yn rhywle y tu hwnt iddo fo, achos o'r ochor arall i'r mynydd y daeth y ddau ddyn diarth hynny ryw bnawn braf ym mis Awst pan oedd y cynhaeaf gwair wedi gorffen a chyn ei bod hi yn amser torri ŷd a chodi tatws. A ddaeth y rheini ddim yn lladrad lledraidd fel y byddai Siân Tangrawen yn dod, ond yn hytrach ar gefn dau foto beic mawr pwerus yn clecian eu ffordd at yr adwy ac i'r cowrt. O Lŷn y byddai cefndryd a chyfnitherod ac ewyrthod a modrybedd yn dod fel rheol — teulu'r wraig. Ond teulu'r gŵr oedd y dynion motos beics hyn.

'Roedd y rhain yn wahanol hefyd — 'chi a chitha' oeddan nhw yn lle'r 'chdi' cynefin cyffredin fyddai gan y lleill. A 'doeddan nhw ddim yn dod i aros chwaith fel y byddai'r lleill achos 'doedd ganddyn nhw na bag na basged ac o ganlyniad 'doedd dim posib bod ganddyn nhw goban na slipars na dim o'r angenrheidiau ymwelyddol eraill. Ond yr oedd gan y ddau ddillad crand — brethyn meddal esmwyth oedd mor wahanol pan oeddech chi yn cael eich codi i eistedd ar eu glin nhw rhagor na rhiciau llychlyd trywsus melfared a gafael caled crysbas lliain.

'Doeddan nhw ddim yn dda i gyd chwaith achos 'roedd yr hynaf o'r ddau yn smocio, a 'doedd smocio erioed wedi bod yn beth cymeradwy acw. Rhegi, smocio, hel diod — y tân mawr, uffern, Gehena. Pwy feiddiodd ddweud nad oedd yna raddau mewn pechod? Yr oedd acw 'iwsio baco', ond cnoi darbodus gochelgar oedd yr iwsio hwnnw ac nid chwythu cymylau o fwg siag i godi peswch yn y gwddw a llid yn y llygad. Ond mi gafodd y dyn diarth oddefiad cwrtais wedi iddo fo ofyn i 'Anti' arogli'r baco ac iddi hi ac yntau gydweld ei fod o fel aroglau gwair newydd ei gynhafa. Hwyrach mai siag a thwist llongwr oedd y pethau i'w hosgoi yn hytrach na baco fel y cyfryw. P'run bynnag, yr oedd y bibell honno yn un arbennig. Yr oedd hi wedi torri ei choes ac yr oedd yntau wedi ei thrwsio trwy lapio weiran arian fel ffurel amdani hi. 'Roedd o'n waith arbennig o gywrain. Ac yr oedd yno chwerthin yn llond ei lygad pan ddwedodd o ei fod o am newid ei enw a galw ei hun yn Demetrius.

Wedi i'r smociwr gael tân ar ei gwar hi, ac i'r edmygedd o ddyn yn medru dal cetyn yn ei geg a siarad yr un pryd nes bod ei gytseiniaid yn clecian yn galetach, fynd heibio, 'roedd yna gyfle i roi sylw i'r dyn arall. 'Roedd o yn fengach na dyn y bibell ac o ganlyniad yn tueddu i fod fwy yn y cefndir fel y bydd brawd bach bob amser. Ond pan gafwyd darn o linyn iddo fo mi ddangosodd fod ganddo yntau alluoedd llawn mor gywrain â'i frawd. Efo darn o linyn — edau bacio gyffredin — 'roedd o'n medru rhoi cwlwm arno a'i wneud yn gylch, ac yna trwy dynnu gwahanol rannau ohono â gwahanol fysedd a gwneud lluniau pethau fel het plisman, trywsus llongwr, cannwyll wêr, castell Caernarfon, Yr Wyddfa a chloch yr Eglwys Newydd. Pwy gredai byth fod posibiliadau mor ddihysbydd mewn darn o linyn? Mae artistiaid y Babell Gelf a Chrefft wedi ei gweld hi erbyn hyn hefyd efo sgriws a thintacs a thopiau poteli cwrw a lluoedd o ddefnyddiau celfyddydol eraill. Ond cyfle edau bacio i gael ei dyrchafu oedd hi y pnawn hwnnw.

Mesur y ffurfioldeb oedd nad te ffwrdd â hi — "dowch cyrhaeddwch, estynnwch ato fo fel y mae o," — oedd y te, ond y llestri ymyl aur a'r tebot gorau, jwg dŵr poeth yn le pig teciall, a brechdan mor denau nes ei bod hi yn anodd ei handlo o blât i blât. Jeli mwyar duon, torth frith, teisen gyraints, ac yn fwy na dim, yr urddasolrwydd hwnnw oedd yn gwneud tywallt te a phasio platiau yn achlysur yn hytrach na dyletswydd.

'Roedd y cowrt ar ôl te yn llawn o aroglau mis Awst, a'r pridd yn gynnes ar ben y wal lle'r oedd y cwt ci wedi ei weithio i mewn iddi. Mae'n debyg mai rhyw drio'r ddau yn ysgafn ar fater bwyta pys gleision wnaed, a darganfod er mawr fodlonrwydd eu bod nhw lawn mor werthfawrogol o'r rheini ag oeddan nhw o jeli mwyar duon. Ac mi oedd dyn y llinyn — a thybed mai dynion oeddan nhw erbyn hyn ynteu hogia? — yn medru gwneud cychod efo'r codau'r pys a'u hwylio nhw'n regeta werdd ar wyneb y twb gwartheg.

Mae'n siŵr fod y diwrnod wedi ei gysylltu ag oes y gwyrthiau achos mi ofynnodd yr hynaf tybed a fuasai'r heliwr pys gleision yn lecio cael reid ar y moto beic mor bell â giât y mynydd — y giât haearn — pan fydden nhw'n mynd adref. Ac mi fyddai'n gymwynas iddynt hwythau i gael rhywun i agor y giât. Mi gafodd dyn y pys ganiatâd parod, ac i ffwrdd ag o a'i benna-gliniau meinion esgyrnog un o boptu'r pilion a'i ddwylo yn gafael yn dynn yn y belt oedd am ganol y dyn. Ond codi ofn arno fo yn hytrach na magu chwilfrydedd athronyddol wnaeth 'curiad calon' y moto beic. Ond mi gododd yr hanner coron gafodd o am agor y giât ei hunanhyder o i'r entrychion wrth ei ddyrchafu o fod yn perthyn i'r dosbarth gweithiol i fod yn un o'r cyfoethogion.

Neidiodd darn o fetlin o'r ffordd a chwyrnellu i dwll yn y clawdd cerrig wrth i'r ddau foto beic fynd drwy'r giât agored. Aeth y ddau o'r golwg a chwmwl o lwch y tu ôl iddyn nhw rhwng cloddiau'r ffordd gul i gyfeiriad pen Allt

Clogwyn Melyn ac i lawr i'r dyffryn — i Ben-y-groes a Thal-y-sarn.

A thrwy gymhelri'r blynyddoedd, ddisodlodd 'Oscar' a 'Tom Rhyd-ddu' na 'Mr. Parry Williams' na 'Syr Thomas' mo ddyn y llinyn a dyn y bibell ar y pnawn hwnnw o ryw fis Awst yn nyddiau bore'r byd pan ddaethon nhw acw o'r tu hwnt i drigfannau Siân Tangrawen a Rasmws o Ryd-ddu.

Arian Byw

’Roedd yna hen fwled o’r Rhyfel Byd Cyntaf yn y bocs botymau yn y cwpwrdd wrth ochor y tân yn y gegin gefn. Mae’n rhaid mai wedi ei agor a’i wagio yr oedd o achos ’doedd yna ddim ôl bod morthwyl y gwn wedi taro’r pin fyddai wedi ei danio, a ph’run bynnag, yr oedd y fodfedd o blwm a’r blaen main arno — y bwled ei hun — yn ei le yn gwneud caead y gellid ei dynnu a’i roi ar y cas copr. Gwaith digon diniwed fel cadw pinnau a nodwyddau dur oedd o wedi ei gael erioed nes i rywun, ar ddamwain un diwrnod, dorri’r botel gorddi. Thermomedr i edrych gwres y llaeth wrth gorddi oedd ‘y botel’, ac yr oedd hi’n llawer mwy gwyddonol a diogel i edrych ar y marciau ar y raddfa lle’r oedd *churning* a *cheese* wedi eu dangos, na bodloni ar synnwyr y fawd neu deimlad penelin fel mam newydd yn profi gwres dŵr golchi babi. A dyna pam yr oedd gweld y botel un bore a’r belen gron loyw oedd yn un pen iddi yn deilchion ar waelod powlen bwdin wag yn beth mor drist. Yr oedden ni ar drothwy oes aur gwyddoniaeth a thechnoleg. Ond dyna fo — newid, a thorri, mae’n amlwg, y mae gwybodaeth a dysgeidiaeth dyn.

Ond fuo ddrwg erioed... Yng ngwaelod y bowlen, yn gymysg â’r siwrwd gwydr, yr oedd yna ddau neu dri o ddiferion mawr gloyw o hylif arian yn symud o’r naill ochor i’r llall wrth ei throi, ac yn ymuno ambell dro i wneud un diferyn mawr, a rhannu wedyn yn glystyrau o ddiferion bach. Arian byw. A chael ei weld o a’i gyffwrdd o am y tro cyntaf erioed. Teimlad oer meddal wrth roi bys arno. Rhyw sylwedd chwedlonol oedd o wedi bod cyn hyn, er bod rhai yn dal allan mai y fo oedd yn gyfrifol eich bod chi yn medru gweld eich llun mewn glàs. 'Doedd yna ddim byd tebyg i hwn i'w weld ar gefn glàs chwaith, dim ond paent coch, ac os crafech chi beth o hwnnw efo pin, dim ond gwydyr clir fyddai ar ôl. Hwyrach nad oedd ryfedd felly fod gweld a chyffwrdd y feri peth ei hun wedi bod yn brofiad mor gofiadwy. A 'chyffwrdd' oedd y gair, achos er mai diferyn neu ddiferion oedd o, 'roedd hi'n hollol amhosib codi pinsiad rhwng bys a bawd, ac yn gwbwl groes i bob hylif cyffredin arall, 'doedd yna ddim ohono yn aros ar y croen fel dŵr neu oel neu finag. Yn sicr, cyffwrdd ac yna ffarwelio oedd ei hanes o.

Ond y cwestiwn oedd lle i'w gadw fo. Codi un diferyn bach ohono ar lwy de a hwnnw yn syrthio ar y mat a diflannu yn anadferadwy na welid byth mohono. Cofio am y bwled. Ei wagio a thywallt yr arian byw yn ofalus i mewn iddo a rhoi'r caead yn ôl. Ac er mai ychydig oedd o 'roedd o'n drwm ac yn ysgwyd yn farw o'r naill ben i'r llall fel pe bai o wedi colli ei holl fywiogrwydd wrth gael ei gau yn y ceudod tywyll. Ond yr oedd o'n ddiogel, ac fe fyddai ar gael ar bnawniau glawog neu gyda'r nosau o aeaf, di-fand-of-hôp, di-lyfr, di-liwdo.

A phan ddaeth dyddiau Ysgol Ganolraddol a mynd i labordy Cemeg ac arogli chwenc a surni melys ei awyr am y tro cyntaf erioed, fe drodd holl fygwth iasol ac anghynefin y lle yn gartrefol bron iawn wrth weld mwy na hanner llond potel o arian byw yn disgleirio ar un o'r silffoedd. Dyma un ddolen gyswllt a allai ysbrydoli'r pridd a'r clai a'i arwain i ddeall y dirgelion oll a gwybod pob gwybodaeth. Ac yr oedd yna ddigon o ddirgelion yn y fan honno gyda'r blychau a'r poteli, y tapiau dŵr a'r tapiau nwy.

Ond ddaeth y dehongliad ddim chwaith er gwaetha'r arian byw, ac er rhyfeddu at gampau rhywbeth fel darn bach o bapur gloyw wedi ei gnoi oedd yn cael ei gadw mewn oel ac yn rhuthro a chordeddu fel chwrligwgan pan ollyngid ef ar wyneb dysglaid o ddŵr oer. Neu'r defnydd gwneud matsus oedd yn cynnau ohono'i hun dim ond dangos awyr iddo. Y papurau glas oedd yn troi'n goch, a'r papurau coch oedd yn troi'n las. A'r anghenfil hwnnw o dair potel afluniaidd oedd yn cael eu cadw yng ngwyll tywyll rhywbeth fel cwpwrdd gwydr â chorn arno, a dim ond i chi wasgu bachyn bach at ei gilydd byddai rhyw gynnwrf yn digwydd yn ei geubal a sŵn fel gwynt ar fabi, ac er nad oedd dim i'w weld byddai'r aroglau fel wyau drwg a chathod yn treiddio drwy'r awyr ac yn llenwi'r lle.

Syndod anesboniadwy oedd gweld potelaid o arian byw llyfn, llithrig hudolus ynghanol rhyw bethau od a dieithr fel hyn. A rywsut, 'doedd o ddim yn perthyn iddyn nhw — yr elfennau a'r cemegau, y nwyon, yr hylifau, y ffrwydron a'r fitrol. Diolch byth, yr oedd yna fyd mawr y tu allan i furiau'r ysgol — y sefydliad gorthrymus, caethiwus hwnnw — ac yr oedd y byd y tu allan yn dal yn llawn o haul ac awyr a choed a blodau, pethau y gellid eu derbyn heb fod eisiau eu darnio a'u dadansoddi a'u datgymalu i weld beth oedd y tu mewn iddyn nhw. Yr un oedd cyfrinach cneuen gollen bob tro y torrech chi'r plisgyn. Yr oedd afal yn felus i'w ganol ac fe allech dynnu'r croen du oedd am yr hedyn a blasu'r chwerwder yn y gronyn gwyn. Y gwahaniaeth rhwng pethau byw a phethau difywyd, mae'n debyg. Rhamant o'i gymharu ag oerni ffeithiol y labordy Cemeg. Ac eto, rhamant oedd yr arian byw yn y bwled yn y bocs botymau. Ar hyd y blynyddoedd — hyd at y noson o'r blaen. Dynes o Lundain ar y teledu yn torri oren yn ei hanner efo cyllell. Ei dorri ar ei draws a dal y ddau hanner at y camera i ddangos gronynnau, diferion bach gloyw o arian byw yn disgleirio y tu mewn iddo fo. Peth melltigedig o ddrwg ydi dyn, a gwenwyn y sarff yn Eden wedi treiddio i ddyfnderoedd ei fodolaeth o.

Seiat Noson Waith

'Roedd yno ddwy seiat — seiat nos Sul a seiat noson waith. Fyddai seiat nos Sul ddim gwerth sôn amdani a deud y gwir, achos y cwbwl fyddai'n digwydd yno oedd y byddai Llywydd y Mis yn codi ar ei draed ac yn deud, 'Mi ofynnwn ni'r un cwestiwn heno eto — Oes yma rywun o'r newydd wedi aros ar ôl?... Wel mae'r distawrwydd yn dweud nad oes...' Yr oedd y difrawder a ddaeth yn wrthgilio wedi dechrau.

Ond yr oedd seiat nos Fercher yn wahanol. Digon anniddorol ambell dro pan fyddai yno ddim byd ond 'adroddiad o'r Cyfarfod Misol' neu grynodeb o weithgareddau Undeb Dirwest Merched Gwynedd, neu Seiat Goffâd, lle byddai'r Pen Blaenor yn deud pethau fel 'Un o golofnau mud yr Achos yn y lle yma oedd y ddiweddar chwaer'. A hynny yn achlysur i'r anystyriol yn y seti cefn ofyn, 'Welis ti golofn yn siarad erioed?'

Eglwys ddifugail oedd hi ar y pryd a'r Pen Blaenor, yn ei fis yn ei dro, yn arwain. Ar ôl y gwasanaeth dechreuol a'r plant yn deud eu hadnodau, byddai yn mynd 'i'r llawr'. Cerdded yn bwyllog i ben uchaf y Festri a deud, 'Mi ddechreuwn ni yn y rhan ucha' 'ma heno. Gair o brofiad neu ryw sylw neu adnod neu bennill,' a'r drefn yn awgrymu blaenoriaethau'r dewis.

Yr oedd o yn areithiwr caboledig, a'i osgo pan fyddai'n codi ar ei draed a'i fraich dde ar astell y pulpud bach, a'i law chwith yn gafael yn lapel ei gôt, yn osodiad i herio gwrthwynebiad o unrhyw gyfeiriad. Ac eto gallai fod yn ddigon addfwyn yn y llawr fel hyn. Gallai dyn llai ei hyder fod wedi cael ei daflu oddi ar ei echel gan rai o'r adnodau. 'A'r sêrs hefyd a wnaeth Efe,' meddai John Tŷ Canol. 'Ia', meddai'r Pen Blaenor cyn i gysgod gwên ddechrau lledu ar yr un wefus, 'rhyfeddu at waith Ei fysedd O yr ydach chi ynte John Jones?' 'Ia, am wn i,' oedd yr ateb digon swta. Ond mi fyddai sylwadau'r Pen Blaenor wedi medru bod yn batrwm i awdur Llyfr Genesis pe bai hwnnw wedi bod eisio ysgrifennu atodiad. Ei ddelweddau am 'eigion dihysbydd yr awyr' lawn mor effeithiol â rhai mwy adnabyddus fel y 'llyfnion hafodlasau'.

Symud ymlaen wedyn, ac mewn ateb i'r cwestiwn: 'A beth sydd ganddoch chi ar eich meddwl heno, Elin Huws?' cael yr adnod: 'A'r trydydd dydd yr oedd priodas yng Nghana Galilea a mam yr Iesu oedd yno,' yr un fath yn union bob tro. Ond syflodd difrifwch y Pen Blaenor yr un fodfedd, dim ond gofyn, 'Ydach chi'n cael cysur yn yr adnod yna, Elin Huws?' 'Gweld hi'n braf arnyn nhw yn y briodas 'te?' 'Ydi, ma hi'n braf ar bobol yr Arglwydd yn tydi?' ac ymlaen i ganmol y gwin a'r llaeth heb arian a heb werth, ac i orffen gyda 'Bendigedig yw y rhai a elwir i swper neithior yr Oen'. 'Doedd gan Elin Huws ddim syniad beth oedd 'neithior', ond 'roedd hi'n falch ei bod hi wedi deud adnod i blesio'r Pen Blaenor.

Fe aeth y seiat ar fater yr Atgyfodiad yn seiat fawr. 'Roedd pethau wedi dechrau tynhau ar y cychwyn cyntaf wrth i un o'r blaenoriaid, modern ei esboniadaeth, feiddio awgrymu mai dyfalu llawer iawn o'r pethau oedd yn cael eu deud wrth y Rhufeiniaid oedd yr Apostol Paul wedi ei wneud, ac nad oedden nhw ddim o angenrheidrwydd yn wir. Yr oedd awgrymiadau o'r fath yn dân ar groen y Pen Blaenor. Ond gwasgu ei wefusau a mynd ymlaen i'r llawr wnaeth o i droi 'sêrs' John Tŷ Canol yn 'seren olau blaenffrwyth y rhai a hunasant', a gwin priodas Cana Galilea yn wyrth 'troi'r marw'n fyw a dryllio pyrth y bedd'. Wedi i Richard Williams Pen-llwyn wneud sylw neu ddau y gellid eu dehongli fel rhai yn mynegi gradd o amheuaeth am wirionedd athrawiaeth atgyfodiad y cnawd, penderfynodd y blaenor blaengar danio ergyd arall o gongol y Set Fawr, a dechreuodd ddyfynnu, yn fras ac o'i gof o esboniad Cynddylan. 'Roedd seiliau cred yn gwegian yn sŵn y geiriau hynny, ond gadawodd y Pen Blaenor iddynt lifo drosto, a'i ben i lawr fel pe bai wedi darganfod trwynau'i sgidiau am y tro cyntaf erioed. Gorffennodd y llith heresïol o'r Sêt Fawr gyda'r geiriau, '. . . fel yna, fel yna beth bynnag, y mae'r Parch J. Cynddylan Jones yn deud.'

Yn y distawrwydd, cododd y Pen Blaenor ei olygon i edrych ar ei gydswyddog gyda thosturi dirmygus a gofyn, 'Peidio bod y Parch J. Cynddylan Jones yn dyfalu, Henry Owen Jones?'

Ac wrth grynhoi, â'i fraich dde ar astell y pulpud bach, a'i law chwith wrth ei ochor a'i ddwrn wedi cau, a threm eryr ar y gynulleidfa ddau ddwsin, dechreuodd, 'Mae arna' i ofn fod yma sect o Saduceaid yn cael ei meithrin yn yr Eglwys yma. A mae arna' i ofn mai chi ydi 'u harweinydd nhw, Henry Owen Jones. . .' ac ymlaen nes bod llewyrch fflamau tân uffern yn dawnsio o gwmpas y pechadur.

Wyddai yr un o'r pedwar oedd yn eistedd yn y sêt ffrynt yn y gwaelod ar ôl bod yn deud eu hadnodau beth oedd 'sect' na beth oedd 'Saduceaid'. Mae'n rhaid eu bod nhw yn bethau drwg ddychrynllyd.

Chododd yna na Saduceaid, na'r un sect Iddewig arall, yn yr eglwys yng Ngharmel chwaith. Ond mi ollyngwyd Henry Owen Jones a Rolant John Owen y Pen Blaenor i bridd y fynwent yno: cyn i fater Atgyfodiad y Cnawd gael ei ddatrys.

Pirin

Mae'r gair bach 'pirin', ar lafar yn Llŷn o hyd am erfyn neu declyn bach hwylus at wneud gwaith. Gall y pirin fod yn unrhyw beth o fforch deilo i fyniawyd, a phan fyddai ffermwyr yn gweithio erstalwm cyn iddyn nhw ddechrau eistedd ar ben tractor, mi allech glywed y mistar yn deud pethau fel, 'estyn y pirin arall 'na i mi', wrth y gwas pan fyddai'r ddau yn gosod colion llidiart mewn cilbost carreg ar bnawn gwlyb ym mis Tachwedd, ac yn y cyswllt, gallai 'pirin' olygu trosol neu ebill. Ac mi allech glywed y gwas yn gofyn i'r mistar, 'efo'r pirin yma y rhowch chi hi?' pan fyddai'n cyfeirio at y fodrwy gopr ar ddiwrnod modrwyo moch, a'r 'pirin' fyddai'r efail geg-agored a ddefnyddid i wasgu'r fodrwy trwy'r croen llac yn nhrwyn y mochyn er mwyn ei wneud yn ddigon gwaraidd i beidio â stwffio'i drwyn i'r baw a'r llwtra a chodi cerrig ei ffolt, ond bwyta'n fonheddig, fanesol o'r cafn, a'r sŵn rhochian wedi ei lareiddio i fod yn debycach i sŵn rhai o'r merched sychedig-baciog hynny fydd yn y 'Steddfod Genedlaethol 'yn yfed cymysglaeth trwy welltyn' — 'milc shêc efo strô'.

Ond byddai'n well edrych ar darddiad a datblygiad y gair, a cheisio hudo un o'r awenau mwy ysgolheigaidd ei thueddiadau i ddal y lamp. Yn ôl Fynes-Clinton yr oedd y gair 'pirin' yn gyffredin gan chwarelwyr Bethesda am gŷn arbennig a ddefnyddid i farcio cyn cymryd cŷn manollt i hollti cerrig. Awgryma y gallai fod cysylltiad rhyngddo a'r gair a geir yng Ngeiriadur Rhydychen, a hwnnw yn golygu math o olwyn bach a ddefnyddid yn y diwydiant cotwm neu wlân i farcio. Mae'n siŵr y gallai gair fel hyn fod wedi crwydro o fro'r chwareli i wastadeddoedd Penrhyn Llŷn a cholli ei ystyr wreiddiol mewn ardal lle nad oedd neb yn hollti cerrig. Ond y mae modd cynnig eglurhad arall, sef mai bachigyn cellwair o'r gair peiriant ydyw — peiriant bach, ac o ystyried ei gyfnod a'i gefndir, mae hwnnw'n fwy dewisol beth bynnag am fod yn fwy ieithegol, a hynny am y rheswm ei fod yn perthyn i gyfnod pan oedd gan grefftwr fwy o barch i erfyn nag i beiriant, cyfnod pan oedd darganfyddiadau mecanyddol yn destun sbort. Hwyrach mai dyna pam y mae rhywbeth cynhenid ddoniol mewn pethau fel injian wnïo a chloc larwm a beic peni ffardding. Dichon mai'r beic ydi'r peth digrif yn y gân hefyd ac nid taid triphlyg Triawd y Coleg, pwy bynnag oedd hwnnw.

Enw cyffredinol neu enw torfol yr un fath â 'peiriant' ydi 'pirin' hefyd, ac fel y mae yna wahanol fathau o beiriannau, y mae yna wahanol fathau o birinnau. Ond 'does yna mo'r cyfyngu ar swyddogaeth fel sydd ar beiriant. Dyna'r gwaethaf efo nhw — mae gofyn cael un gwahanol ar gyfer pob gwaith a phob swydd. Wnaiff injian ladd gwair ddim byd i hel tatws mwy nag y gwnaiff eroplên sydmarîn. Ond mae yna le i ddychymyg a dyfeisgarwch efo pob math o ryw birin bach. Dyna i chi 'fachyn sgidia'. Cau'r 'botyma lympia' fyddai'n un rhes ar hyd ochor esgidiau-botymau oedd ei waith iawn o. Rhyw chwarter modfedd o fachyn ceg-agored a'i goes yn dair neu bedair modfedd o hyd a dolen hirgron yn ei ben oedd hwnnw, a fyddai seiadau dechrau'r ganrif ddim wedi bod hanner mor ddefosiynol a pharchus hebddo fo, achos mi fyddai'r deunydd sant mwyaf wedi mynd i ddamio a sincio pe bai o'n gorfod trio cau botymau'i sgidiau efo'i fys a'i fawd. Ond nid i'w briod waith yn unig y defnyddid bachyn sgidiau. 'Roedd o'n un o'r pethau gorau at dynnu corcyn fyddai wedi llyncu'i ben o wddw potel, yn enwedig rhai delicet fel potel Oel Morus Ifas neu botel

Camffareted. 'Roedd o'n medru gweinyddu meddyginiaeth ddi-ffael i un o'r anhwylderau fyddai yn dod i ran yr organ — yr offeryn — hefyd, pan fyddai nodau yn cau cynhyrchu sŵn wrth bwyso arnyn nhw a dim ond sŵn gwynt yn dianc yn ddilyffethair o'i hysgyfaint. Y cwbwl fyddai eisio'i wneud fyddai tynnu'r cefn a chymryd bachyn sgidiau a'i stwffio drwy'r twll gyferbyn â'r nodyn aneffeithiol i gael y tafod bach pren yn ei ôl i'w le o dan y sbring. A dyna'r holl gwmpas seiniol yn gyfan drachefn.

Ond 'doedd gweithgaredd bachyn sgidiau ddim yn gyfyngedig i beirianwaith a thechnoleg chwaith. Y fo fu'n gyfrwng i gael y mêr allan o'r esgyrn bîff hynny. Bîff wedi ei ferwi ar gyfer gwneud cinio i'r Cyfarfod Misol oedd o, a'r esgyrn, ar ôl i'r Henaduriaeth orffen efo nhw, wedi dod i ddwylo rhai o 'had yr Eglwys' chwedl yr Adroddiad Blynyddol, ar eu ffordd i'r cŵn — yr esgyrn, wrth gwrs, yn llythrennol, nid had yr eglwys yn ffigurol. Ond cyn i'r cŵn eu cael nhw, sylweddoli fod yna fêr yn eu canol nhw. 'Roedd peth ohono'n ddigon hawdd i'w gael efo coes llwy de, ond yr oedd angen rhywbeth amgenach i gyrraedd y mannau dyfnaf lle'r oedd y mêr melusaf — gwell i'w roi ar frechdan na dim dripin a ddaeth o fyrddau'r Plas erioed. A bachyn sgidiau fu'r ateb. A chafodd y cŵn ddim ond plisgod gweigion o esgyrn sychion. Pirin bach rhyfeddol oedd o. A 'doedd o mo'r unig un. Yr oedd i fachyn cig ei swyddogaethau. Ac yr oedd stôr o ddibenion i herpan. Herpan? Ffurf unigol y gair lluosog 'herpins' — benthyciad uniongyrchol o'r Saesneg — ac er bod 'pin' a 'pinna' yn gynefin, ddaeth herpin a herpinna erioed i fod. Na — herpan a herpins. Ond dyna fo — pethau od ydi ieithoedd. A phethau odiach fyth ydi'r bobol sy'n eu siarad nhw. Sôn am 'birin' a 'pheiriant' — be wnaech chi o Gôr Adrodd erstalwm — llwyfaniad o ferched llyfndew, nobl, gwritgoch yn dechrau fel un gŵr ac yn deud — 'Nyni yw'r peiriannau...?

Moto

Er ei bod hi yn edrych yn debyg i ffenest siop, ffenest modurdy oedd hi. Niferoedd o geir newydd, amryliw, hardd yn arddangos eu gogoniant a'u prisiau ar y llawr sglein coch, a gwên eu ffenestri a winc eu lampau yn gymaint o demtasiwn ag oedd hudoliaeth y Mimi honno oedd yn denu Mab y Bwthyn yn yr estaminét yn Ffrainc. Ond yn union yn y gornel ar y dde yr oedd yno gar gwahanol. Un fel pe baech chi wedi rhoi pedair olwyn o dan ddysgl hirgron. Olwynion mawr cryfion, a'r to clwt wedi ei ostwng yn blygion ar du ôl y sêt gefn. Yr olwyn lywio yn uchel ar dde y sêt ffrynt, a step ar hyd yr ochor i'w gwneud yn haws mynd i fyny. Rhywbeth o'r oes o'r blaen mae'n siŵr. Yr hen *Ford Model T.*

Fel y teimlwch chi weithiau fod rhywun heblaw chi eich hun o gwmpas — troi, a gweld bod Defi Jones wedi cyrraedd ac yn sefyll rhwng penelin ac arddwrn fel petai.

"Sbio ar y moto yr wyt ti?"

"Y... wel...ia..."

"A rhyfeddu? A chymryd arnat na welaist ti ddim byd tebyg erioed?"

"Y... wel..."

"Ia, wn i'n iawn. Ffordd o wadu dy oed. Na, 'rwyt ti'n rhy ifanc i gofio peth fel hyn! Ond aros di cwbyn a phaid â bod mor lartsh. A dos yn ôl yn dy feddwl bach i'r adag pan oeddat ti yn yr ysgol elfennol. Wyt ti ddim yn cofio fel y bydda'r moto dri o'r dre yn 'rafu i ti gael neidio ar y step a chael dy gario adra i fyny'r gelltydd? Wel, step fel yna yn union oedd hi. Dim ond bod dy draed di yn llai a'u bod nhw yn ffitio'r step yn well.

A pha fath o gerbyd aeth â dosbarth Ysgol Sul dy Fam am drip i Ben Llŷn ac Aberdaron? A thitha yn cael mynd efo nhw, er mai dosbarth o genod oeddan nhw, am dy fod di yn ormod o fabi i aros adra ar dy ben dy hun, ac am nad oedd gan neb amsar i dy warchod di. Rho di dipyn o fac pedal i dy feddwl i ti gael ailbrofi'r dychryn a'r ofn a'r arswyd aeth drwyddot ti pan aeth y moto hwnnw dros geiliog iâr redodd i'r lôn rhwng Edern a Thudweiliog a'i ladd o'n farw gorn. A'r dreifar yn mynd i lawr i dalu amdano fo a tharo llinyn am 'i wddw fo a'i hongian o yn 'i waed a'i anga wrth y lamp dde gyferbyn â'r llaw oedd yn gyrru a llywio? Ac Aberdaron 'i hun ar bnawn braf ym mis Gorffennaf, a chwch pysgota yn glanio ar y traeth a'r mecryll yn dal i roi amball i swalp yn y bocs ar 'i waelod o? A'r demtasiwn yn profi yn ormod i dy Fam ac i'r dreifar, a phrynu hannar dwsin bob un. Llinyn drwy'u tagall a'u cega nhw, a'u hongian nhw ar goes y lamp yr ochor arall. Cyrraedd yn ôl gyda'r tywyllnos a cheiliog iâr i'w bluo a chwech o fecryll i'w trin. Ond â chinio dydd Sul a swpar chwaral nos Lun wedi'u sicrhau. Ia, wel un fel hyn oedd y moto hwnnw yli. . .

A beth am y noson honno yr oeddach chi yn dwad adra — union heibio'r fan yma? Na, wyt ti ddim yn cofio ma'n siŵr?'

"Y. . . wel. . ."

"Na, mae'n haws o lawar peidio. . . Ond mi ddeuda i wrthat ti. . . Wedi gwerthu heffar — heffar las ddel gynddeiris —i Hendreforion, Llanllyfni yr oeddach chi, a dy Fam wedi mynd i'w danfon hi yno bnawn Gwenar. Cyrraedd yr iard efo hi a'i throi hi i'r cae yng nghefn tŷ. Sgwrsio a chael te. A chael pedair punt ar ddeg o bris am yr heffar cyn cychwyn yn ôl adra i Garmel. Ond wrth i dy

Fam nesu at lidiart y mynydd gweld bod yno fuwch yn sefyll, a synnu bod neb mor flêr â gadael i wartheg fod yn y lôn fawr — er 'i bod hi yn ddigon gwag o draffig y dyddia rheini. Mwy o syndod fyth wrth weld mai'r heffar las oedd yno wedi cerddad yn ôl bob cam o'r pum milltir ac yn disgwyl i rywun agor y giât iddi hi gael mynd adra. Pnawn drannoeth yn bnawn Sadwrn, a dy Dad yn deud — a fydda fo ddim yn deud yn amal yn na fydda? — bydda'n well i dy Fam ag yntau fynd â hi yn ôl i Hendreforion er mwyn gneud yn siŵr y bydda hi yn ymlyfu a dwad o hyd i gynefin newydd.

A be ddeudon nhw wrthat ti. . .? Na wyddost. . . Deud 'u bod nhw wedi siarad efo Robat Hughes i fynd â'r moto i nhôl nhw erbyn naw, ac am i titha fod yng Nghlynmeibion i ti gael mynd efo fo. 'Roeddat ti yno, wrth gwrs, dan draed ag ar y ffordd tuag awr a hannar yn rhy fuan. A Dicw heb ddwad yn ôl o'r dre efo'r moto. Os na fydda fo wedi cyrraedd, 'roedd Robat Hughes am roi'r ferlan bach yn y car. 'Roedd hi'n dipyn o gyfyng-gyngor arnat ti rhwng y ferlan bach a'r moto, achos mi fasa bod wedi cael mynd ymhell y tu draw i Lanllyfni yn hwyr gyda'r nos a rŷg am dy goesa a Robat Hughes yn clecian y chwip wedi bod yn un o brofiada mawr dy yrfa di. . . Ond mi ddoth Dicw adra a mi aethoch eich dau yn y moto — Robat Hughes yn dreifio a thitha yn canu'r corn rownd pob tro, ac yn diolch bod yna gymaint o droada o Garmel i Hendreforion. Ond mi lusgoch cyn cychwyn adra nes 'i bod hi'n nos. A ffendio ar ôl mynd allan nad oedd yna ddim llwchyn o garbeid yn y ffowntan oedd ar y step i roi gola ar y moto. Nid bod hyn lawar o wahaniaeth. Matar bach oedd rhoi dwy gannwyll — un ymhob lamp — yn union fel y basa chi wedi gneud yn lampa'r car. Wyt ti'n cofio be' fuo wedyn? Nag wyt. . . Wel, ychydig lathenni i lawr y ffordd yn y fan acw, mi oedd pont y lein. . .'

"Oedd, 'dw i'n cofi. . ."

"Wel cofia'n ddistaw 'ta. Ac ar y dde mi oedd Toman Byd lle bydda pobol yn taflu sbwrial. Stad ddiwydiannol sy' 'na rwan lle ma nhw'n gneud sbwr. . . petha. Wel, y noson honno, mi oedd un o ferchaid Bethal Teras wedi mynd i daflu'r lludw i'r doman ac yn cerddad yn ôl efo'i phwcad wag i fyny at yma yr ochor acw i'r lôn. 'Roedd gyni hi gôt ddu amdani a welodd Robat Hughes mo'ni hi. Aeth o ddim ar 'i thraws hi mewn gwirionadd, dim ond rhoi hergwd bach iddi hi yn 'i thin efo'r mydgar blaen. Ond mi fuo'n ddigon iddi hi golli'i syth a'i chychwyn hi yn fân ac yn fuan yn 'i chwman am ddwylath ne' dair a syrthio ar draws 'i phwcad. Mi aethoch â hi adra yn y moto. 'Doedd hi fawr gwaeth. A mi aeth dy Fam i edrach amdani hi bora Llun efo pwys o fenyn a dwsin o wya. Ond weithion nhw ddim. Cwrt yng Nghaernarfon fuo hi. A fuo'i hatebion hi i gwesityna twrna'r erlyniad ddim llawar o help chwaith. 'Faint o olau oedd ganddoch chi ar y motor efo dwy gannwyll?' 'Cymaint ddwywaith â fasa gynnon ni efo un,' oedd yr atab — digon teg efallai ond annoeth iawn. Wyth bunt o ffein. A 'chydig ddreifiodd Robat Hughes ar y moto ar ôl hynny."

Symudodd Defi dri neu bedwar cam yn ôl oddi wrth y ffenest.

'Tyd yma,' meddai, 'ag edrach arno fo. Dyna fo'r moto yli. A phaid â'i anghofio fo eto. . . A rwan — dos am dy adra dros yr Eifl 'na, gan mai gadael yr hen Ddyffryn 'ma wnest titha fel y lleill.' Gwthiodd ei het ryw hanner modfedd yn uwch ar ei gorun, troi'i gefn a'i chychwyn hi i fyny 'Water Street' am 'Llwyndu Road'.

Tybed oedd y fuwch las yn edrych dros ganllawiau pa borfeydd bynnag y mae heffrod yn mynd iddyn nhw ar ôl marw, ac yn 'difaru ei bod hi wedi peri cymaint o helbul dianghenraid? Neu a oedd hi'n siomedig bod ei hymdrech i fod yn deyrngar i'w chynefin wedi cael derbyniad mor oeraidd?'

Cytiau

Mae'r ysgolheigion a'r archaeolegwyr yn dweud nad Gwyddelod oedd yn byw yn y Cytiau Gwyddelod sydd wedi'u codi ar hyd a lled yng Nghymru, lle mae 'hen lesmeiriol baent' blodau'r gôg yn dal i ddangos y mannau yr oedd ffiniau'r coedwigoedd erstalwm. Ond pwy bynnag oedd yn byw yn y cytiau, mae'n rhaid ein bod ni yn eu hiliogaeth nhw yn rhywle, ac mai hynny oedd i'w gyfrif am y dynfa anesboniadwy oedd yna mewn cytiau.

Siop sinc, lle'r oedd busnes grosar wedi blodeuo a darfod fel y glaswelltyn, oedd cwt y crydd, a phan orffennodd yr adeilad fod yn 'siop' — 'cwt' fuo fo. Chafodd o erioed ei ddyrchafu i gael ei alw yn 'weithdy', ac yr oedd dirywiad y busnes ar lithrigfa'r methiant wedi bod yn rhy wyllt i neb ddychmygu am ddal i'w alw'n siop. O ran ei olwg allanol, siop oedd o o hyd, a'r cownter yn gadael sgwâr o le gyferbyn â'r drws i'r cwsmeriaid sefyll. 'Roedd yno dair neu bedair llathen o gownter, ond 'doedd yr un ohonyn nhw wedi gweithio neu fuasai'r busnes ddim wedi mynd â'i ben iddo. Mae'n rhaid bod y crydd wedi symud i mewn cyn bod y lle wedi oeri — fel tái o wedi mudo rhwng ei bwdin a'i datws amser cinio dydd Sul, a mynd â'i arfau a'i fainc a mul neu ddau efo fo. Mul i roi esgidiau i'w trwsio arno fo — nid un o gig a gwaed fel a aeth i Fflint. Yn fuan iawn yr oedd 'siop' hwn-a-hwn wedi mynd yn 'gwt' crydd.

'Roedd y pen agosaf i'r drws o'r cownter wedi ei gau efo dau bostyn a banister a rheiliau fel pe bai rhywun wedi meddwl am wneud pen grisiau yno. A phan oedd y siop yn ei bri, yn y fan honno, y tu ôl i gyrten gwyrdd, yr oedd y ddesg a'r drôr arian fu'n cadw cyfrinachau gobeithion y llwyddiant mawr a phryderon helbulus y blynyddoedd llwyd. Ond pan feddiannodd y crydd y lle, fe hoeliodd sawdl y mulod ar y cownter lle'r oedd y ddesg wedi bod, ac yn y fan honno, a'r ffenest ar ei chwith, a darn o gortyn coch yn dal yr esgid yn dynn ar y mul, yn gweithio ar ei draed, y curodd o filoedd o hoelion melyn bach i wadnau esgidiau-gorau ac esgidiau-ail, a miloedd o sbarblis i wadnau esgidiau-hoelion-mawr.

Ond yn ogystal â bod yn lle i'r crydd weithio 'roedd y cwt yn ganolfan cymdeithasol ac yn gyrchfan segurwyr gorfodol dirwasgedig y dau a'r tridegau. Y rhai oedd yn methu cael 'bachiad' wythnos ar ôl wythnos, a chyfundrefn wleidyddol gyfalafol ffosiledig yn eu gwneud yn droseddwyr a pheryglu eu deunaw swllt pe ceisient wneud dim byd ond bodloni i syrffed diddymdra'r diogi. Ac yno y bydden nhw, yn eistedd ar y cownter yn chwarae draffts a siarad smaldod a hel straeon a rhegi. A distewi ac edrych fel pe baen nhw yn fodau o fyd arall heb fod yn clywed nac yn gweld dim pan ddeuai cwsmer i mewn â phâr pwyth neu bâr hoelion i'w gwadnu, neu glemiau a phedolau i'w hailosod, neu fag ysgol i'w drwsio. A'r crydd yn gwneud busnes gan anwybyddu'r ffrîs yn y cefndir fel offeiriad yn anwybyddu'r ffenestr liw yn yr eglwys. Hwyrach ei fod o'n feistr ar ddeuoliaeth o'r fath, oblegid yn ei fywyd preifat yr oedd o'n arbenigwr ar fagu a bridio ieir dandi — yn ddyn sioeau ac arddangosfeydd. Fel pe bai stiward chwarel yn gwneud englynion, neu flaenor capel yn hel cardiau sigarets.

Ac nid y cwt crydd yn unig oedd hi. Yr oedd yno gwt teiliwr — mor rhamantus a deniadol â dim a fu yn yr Wyddgrug erioed. Ac mor gyfriniol ag un o gyrchleoedd y dwyrain gan fod y ffordd i fynd yno trwy entri gul ac i fyny grisiau pren. Ond 'doedd hi ddim mor hawdd cael mynd yno. 'Roedd sôn bod yna chwarae cardiau yno. A 'doedd y teiliwr hwnnw ddim yn un o golofnau dirwest yn yr ardal er ei fod o mor ffraeth â *Phapur Pawb* neu'r *London Opinion* neu'r *Passing Show*.

'Roedd y cwt teiliwr arall yn fwy derbyniol a chonfensiynol. 'Doedd yno na draffts na dominôs na chardiau, nac arlliw o golledigaeth hapchwarae. Ond gan fod y teiliwr hwnnw yn is-bostfeistr yn ogystal, a bod y teliffon yn y gweithdy, fe fyddai ei gynulleidfa yntau, fel cynulleidfa'r crydd, yn fferru i stiffrwydd Cilderaidd pan fyddai'r gloch yn canu a'r teiliwr yn cael sgwrs efo rhyw 'Miss Jones' fyddai yn y Nant yn y pen arall i'r lein yn cysylltu'r gweithdy efo dagrau a llawenydd y byd mawr y tu allan. Ar ôl y rhagymadrodd o gellwair am gariadon efo Miss Jones, byddai'r sawl fyddai'n galw yn cael cyfle i ddweud ei neges, ac er na fyddai'r un copa walltog yn cymryd arno ei fod yn clywed, mi fyddai'r hyn fyddai'r teliffon wedi ei ddweud yn wybyddus ymhob tŷ ar ôl te a chyn amser swper.

Ar adeg gwneud eirch mi fyddai mynychwyr y cwt saer yn mynd allan fel rhyw fath o deyrnged ddistaw i goffa'r ymadawedig. Er na fu yno erioed y fath gyrchu ag i le'r crydd a'r teiliwr. Hwyrach bod osgo llifio a phleinio a'r symud sydd mewn gweithdy saer yn anghydnaws â siarad ac eistedd a mân-sôn segurdod.

'Roedd y cwt moto yn beth gwahanol iawn. Yr oedd gan seiri coed a maen eu hir draddodiad ac arferion eu crefft, ond cyfrin ddirgelwch technoleg y byd newydd oedd perfedd moto, ac er mai hap a damwain a synnwyr y fawd oedd hyfforddwr a gramadeg y ddau oelddu oedd yn gweithio yno, yr oedd rhyw hud a lledrith dewinol o gwmpas yr aroglau petrol a'r termau newydd fel 'carbiwretor' a 'distribiwtar' a 'ffîd' a 'ffoints'. A phan fyddai injian yn tanio ac yn rhuo i ddiben ei bodolaeth ’roedd yno lawer o’r hyn fyddai llenorion modern yn ei alw’n ‘wefr’.

Cwt anghyffredin oedd cwt y dyn oedd yn gweu sanau at ei fyw — neu i’w helpu i fyw ar bensiwn un wedi ei glwyfo yn y Rhyfel. Gweu sanau ar beiriant yr oedd a’r edafedd llwyd neu las neu goch-a-du yn bellen hirgron uwch ei ben yn dirwyn yn araf i berfedd y peiriant oedd yn peri iddo ddod allan oddi tano yn hosan gyflawn — flaen a sawdl a choes — a hynny heb i neb fod wedi taeru am ‘godi’ a ‘gostwng’ a ‘chyfyngu’ ac ‘agor’ fel y byddai merched wrth weu sanau. Fu’r cyhoedd erioed yn cael mynd yno. Ryw un neu ddau dethol yn unig. ’Roedd safon y draffts yn uchel iawn yno.

Yr oedd yno un cwt arall. Ond ’doedd neb byth yn mynd i hwnnw, a welwyd erioed mo’r clo wedi ei ddatod oddi ar y ddolen trwy’r stwffwl oedd ar ei wyneb. Cwt yr hers oedd o, ac er craffu drwy yr hollt rhwng y ddwy ddôr, welodd neb ddim byd ond y duwch a’r tywyllwch sy’n gordoi anwybod y dyfodol.

Cymdeithas y cytiau. Ac y mae’r ddau wedi mynd — er gwell neu er gwaeth. Mae cymdeithas wedi mynd yn unigolion mewn gwagle. A’r cytiau? Wel sied a ‘phatio’ a ‘summer house’ a ‘siale’. A’r bobol fyddai’n byw mewn tai ac yn mynd i’r cytiau ar eu tro wedi mynd i fyw i’r cytiau a mynd i’r tŷ rwan ac yn y man. Rhyfedd o fyd!

Tatws

Ar ôl dod adref ryw gyda'r nos yn nechrau haf a phicio i'r ardd cyn mynd i nôl ei 'swpar chwaral' y cafodd Wmffra Ifas un o siomedigaethau mawr ei fywyd. Hen ddiwrnod digon ffadin oedd hi wedi bod drwy'r dydd — ryw natur niwl a glaw mân a haul-gwyn-gwan-glaw-yn-y-man yn boddi bob tro 'roedd o'n trio dod i'r golwg drwy haenau'r glwybaniaeth. 'Roedd rhai o hogiau gwaelodion y plwy yn cwyno y gallasa' fo wneud llanast ar flodau coed afalau a pheri iddyn nhw syrthio cyn ffrwythloni. Ond gan mai un o drigolion y mynyddoedd oedd o 'doedd coed afalau yn golygu dim byd i Wmffra. A dweud y gwir, dim ond rhyw ddraenen neu ddwy wedi eu llurgunio fel bysedd gwrachod i gyfeiriad y dwyrain o dan bwysau'r gwynt o'r môr oedd yn yr ardal i gyd.

Mi fyddai'n hawdd gan Wmffra fynd i gael golwg ar yr ardd wrth fynd i'r tŷ er mwyn gwneud yn siŵr nad oedd cŵn wedi bod yn y rhiwbob neu gathod yn y cefn slots neu ehediaid y nefoedd yn y coed cyraints duon. 'Roedd o wedi gweld pethau felly yn ei ddydd. A gwaeth hefyd. Mi agorodd ddôr yr ardd un waith i weld hen grymffast o oen mawr pen du ar ganol y llwybyr yn edrych arno fo ym myw 'i lygaid mor bowld â thalcen tas.

Ond yr oedd popeth yn edrych yn iawn heno — y cefn letys a'r rhesi moron, y pys, a'r ffa newydd gael torri'u pennau er mwyn iddyn nhw ffrwytho a pheidio â magu'r hen chwain duon hynny. A'r gwlydd tatws wedi cau'r rhesi yn wastad fel bwrdd. A dweud y gwir yr oedd pethau yn edrych cystal nes peri i Wmffra agor y ddôr yn lle bodloni ar sbïo drosti a mynd i mewn — fel tái rhyw 'anweledig law' yn 'ei wthio o hyd yn nes'. Heibio'r llwyn hen ŵr wrth glawdd y cowrt yng nghongol yr ardd bach. Heibio drws y sied, a'r gasgen, a'r ferfa, a'r polyn lein. A phan roddodd o'i droed ar y drydydd fflacsan ar y llwybyr rhwng y rhesi tatws y clywodd o fo. Pob man yn ddistaw ac yn wlyb ac yn llonydd — nes bod sŵn y glwybaniaeth i'w glywed yn diferu oddi ar ddail y goeden rosod ar dalcen y sied. Ac yno yn y tawelwch — aroglau merfaidd, hanner melys, hydrefol, pydredig — clwy tatws!

Mi safodd Wmffra ar y llwybyr fel delw gerfiedig ac iasau oerion yn cerdded ei gnawd, a'i goesau a'i freichiau yn mynd yn groen gŵydd drostynt, cyn troi yn ei ôl a mynd i'r tŷ. Chlywodd o fawr ddim ddeudodd Lisi, a fyddai waeth iddo fo fod yn cnoi cadach gwlanan mwy na'r slots a'r ŵy-wedi-ffrio oedd ganddo fo efo'i fecyn.

'Wel braf iawn,' medda chi, 'os mai dyna un o siomedigaethau mawr ei fywyd o. Mi fuo'n lwcus iawn!' Efallai hynny — o feddwl am y byd sydd ohoni hi heddiw. Ond mae adwaith i amgylchiadau yn dibynnu ar gwmpas eich byw chi. Mae colli dimai i ddyn nad oes ganddo ond dwy geiniog yn golygu chwarter ei dda. Ac mae brechdan denau yn gwneud twll yn y dorth pan mae'r bara'n brin.

Achos nid dyletswydd fel y mae o'n rhan o waith ffarmwr oedd tyfu tatws i Wmffra Ifas. Ac nid cael enllyn iddo fo a Lisi oedd y diben chwaith, er y byddai'r ddau yn bwyta tatws trwy gydol y flwyddyn, o datws newydd a'u crwyn yn sgleinio gan fenyn ym mis Mehefin i datws ar ffon grât a'u crwyn crimp yn cracio amser swper yn nhywyllwch dydd byr ym mis Tachwedd. Hwyrach ei bod hi wedi bod yn ddewis rhwng tatws â rhywbeth arall yn y gorffennol pell. Ond ers llawer o flynyddoedd bellach yr oedd tynged ddiwrthdro i Wmffra mewn tatws. Yr un fath â'r orfodaeth sydd ar Brifardd i ysgrifennu awdl — er mwyn bod yn fardd.

O'r funud y byddai wedi gosod yr hadyd yn y bocsus, yn raddoledig ac yn daclus, a rhoi'r bocsus o dan y gwely yn y llofft gefn, byddai'r rhamant rhwng Wmffra a'r tatws yn dechrau. Y pigau bach gwynion fel blaenau nodwyddau dur yn dod allan o'r llygaid. Twf araf nes bod y nodwyddau yn newid i fod fel pigau adar wedi eu gwneud o wêr a gwawr werdd ar eu blaen a gwawr binc ar eu bôn. Y gwyrdd yn glasu ac amser i Wmffra balu a rhychu a dod â'r bocsus i oleuni dydd o dywyllwch y dan-gwely. Cyn bo hir mi ddeuai dail bach gwyrdd tywyll ar yr egin ac mi fyddai'r haul yn cynhesu'r pridd yn y rhychau. Diwrnod neu ddau, a thail cryf gwelltog i wneud eu gwely, ac ar ôl llygedyn cynnes yn y pnawn, eu gosod, a dechrau gwraidd bach yn ymddangos o dan yr egin, a'u claddu gyda hyder sicrwydd adfywiad pob claddedigaeth. Fe ddigwyddai wedyn ei dod yn amser eu palu, eu priddo, a chodi atyn nhw yn eu tro. A phan fyddai'r gwlydd wedi cau'r rhesi yn wastad fel bwrdd, mi fyddai'n amser dechrau meddwl a chyfri'r wythnosau hyd at yr amser un gyda'r nos y bydden nhw'n barod i'w 'trio'. A chael eu gweld, yn lân ac yn wynion, yn freision ac yn gnydiog, yn barod i fynd i'r tŷ i Lisi eu berwi — yn datws newydd sych-fel-blawd.

Y noson honno oedd yr union noson y buasai Wmffra wedi meddwl meddyliau fel hyn. Ond yn lle hynny — aroglau'r clwy fel slap ym mhwll ei galon.

Aeth y newydd drwy'r chwarel fel tân gwyllt, ac yr oedd pawb yno yn fawr eu gofal. 'Sut ma nhw heddiw, Wmffra?' 'Gwanio, gwywo, darfod,' oedd yr atebion, a'r gwlydd yn troi o wyrdd i felyn, i frown, i ddu. 'Roedd y cynghorion a'r doethinebau yn amrywiol. Paraffîn; dŵr tail defaid; chwipio'r gwlydd efo gwialen helyg; dŵr a halen; Bordocs misctiar; carrag las. A hogyn Morgan Tomos yn awgrymu cerdded drwy'r rhesi a dweud 'gwlŷdd-tatws gwlŷdd-tatws saith gwaith ar un gwynt', wedi drysu rhwng y clwy a'r ffordd i fendio llyfrithen. Thriodd Wmffra yr un ohonyn nhw p'run bynnag, achos 'roedd y clwy nid yn unig wedi rhoi had difodiant yn y tatws, ond wedi rhoi'r fath glustan i'w ego nes i hwnnw sincio i waelodion ei isymwybyddiaeth ac i haenau uchaf ei ymwybod gau amdano fel petalau rhosyn yn cau am y gwyfyn yn ei galon.

Mi aeth pethau heibio. Mi chwistrylliodd Wmffra'r pridd; hau calch hyd y cloddiau; cael hadyd glân gan Owen Cae'r-Cyd a thyfu tatws a enillodd yn y sioe flodau y flwyddyn wedyn.

Mae Wmffra wedi mynd at ei wobr — neu 'i 'chips' — ers blynyddoedd. 'R hen greadur. Biti na fydda fo wedi cael byw i weld ei anwylyd wedi dod i'w hetifeddiaeth, yn eilun y miloedd ac yn wrthrych trafodaethau penaethiaid teyrnasoedd y ddaear. Yn 'grips'.

Tua'r Gorllewin

Haul prin haf cyndyn-ei-broffid wedi gwasgu diwrnod o olau llifeiriog o grintachrwydd ei niwl a'i law mân, a thraffordd yn rhywle ym mherfeddion y Sowth 'na yn dirwyn i gyfeiriad y Gorllewin fel tâp mesur mawr unionsyth o gyffordd i gyffordd ac o arwydd i arwydd.

Mi fydda' 'na fleind ar ffenest tu ôl ceir erstalwm rhag i oleuadau'n dilyn ddallu'r dreifar, ac mae colled ar eu hôl pan fydd haul mis Awst yn crasu'ch gwegil chi a chwithau heb na choler côt am eich gwddw na het am eich pen er mwyn bod fel fisitors am eich bod chi ar eich gwyliau ac yn mynd am drip-diwrnod i weld y wlad.

Gwlad esmwyth ffrwythlon oedd hi a'i henwau fel Llanddarog a Nant-y-Caws yn ddieithr gynefin. 'Doedd y llefydd ddim i'w gweld, dim ond eu henwau ar fynegbyst. Felly mae'r traffyrdd yma, fel pe baent yn rhyw ddibenion ynddynt eu hunain, ac os oes rhaid cael lle rhag i'r milltiroedd diderfyn droi'n hunllef, yna mae'n rhaid adeiladu un a rhoi rhif neu enw gwneud arno. Ond nid felly yr enwau ar y mynegbyst. Yr oedd y rheini yn bod er nad oeddan nhw ddim i'w gweld.

Y Tymbl oedd un, ac atgof am y gŵr ifanc glandeg hwnnw, a lori geffyl yn bulpud iddo, yn pregethu mewn oedfa yn Nhal-y-sarn yn Nyffryn Nantlle heb fod ymhell o 'chwydfa'r gloddfa glai', ac yntau ar y pryd wedi cael ei chwydu allan o barchusrwydd haearnaidd y Methodistiaid Calfinaidd. Tom Nefyn, a'r llais â thinc fel cloch arian ynddo, y gwrthodedig, yn cynnig cymod i gynulleidfa o breswylwyr y graig ac yn dweud fod

Y ddeddf o dan ei choron,
Cyfiawnder yn dweud, Digon!
A'r Tad yn gweiddi, Bodlon!
  Yn yr Iawn;
A Diolch byth, medd Seion,
  Am yr Iawn.

Ond yr oedd un o'r rhwygiadau cyntaf yng ngwead y gyfundrefn Bresbyteraidd i'w glywed fel sŵn rhwygo calico yn yr oedfa honno er gwaethaf cynghanedd fawreddog y pedwar llais yn morio canu.

Cydweli oedd un arall, a'r hen wraig bach garedig honno oedd yn gwerthu fferis am bris mor rhesymol â deg am ddimai, a hynny mewn cyfnod pan oedd yn rhaid i chi dalu dimai am ddim ond dau daffi *Red Seal.* Mae'n wir mai 'losin du' oedd ei fferis hi, beth bynnag allai'r rheini fod - darnau o licis bôl digon anniddorol efallai. Ac ar y llaw arall, mi allasant fod wedi bod yn chwip o fferis fel bwls-eis neu eferton-mints. Ond beth bynnag oeddan nhw 'roeddan nhw'n ddigon rhad yn ddeg am ddimai. Heb sôn am yr hwb i'r ego bondigrybwyll sydd yn y llinell olaf sy'n rhoi 'un ar ddeg i mi'. Dyna sefydlu'r cyswllt nas datodir hyd angau rhwng 'yr eiddoch' a Hen Fenyw Fach Cyweli. O Gydweli hefyd yr oedd John Donne, y bardd a'r offeiriad o Sais a ddywedodd: 'Pan glywi gnul y gloch, na ofyn am pwy cano'r gloch — fe gân amdanat ti,' i awgrymu fod darn ohonon ni i gyd yn dod i'w ddiwedd ymhob marwolaeth. Ac i awgrymu hefyd efallai, fod darn o bob marwol yn goroesi yn y byw sy'n aros.

Mi gollwyd undonnedd y draffordd ar ôl dod i Sanclêr, a pheth amheuthun oedd dilyn troadau a gorifyny a goriwaered rhyw bum milltir o daith i Dalacharn. I lawr y rhiw i'r dref ei hun, ac i forfa llonydd glan-y-môr lle mae'r afon Tâf yn lledu'i glannau i'r gwastadeddau tywod, a'i thaith yn dod i ben trwy agor ei cheulannau i'r ehangder diderfyn. Pompren bach yn croesi ffrwd yng nghysgod muriau'r castell a nodyn bach diymhongar yn cyfeirio *'To the boathouse'* yng nghysgod y canllaw. Y *Boathouse* oedd cartref Dylan Thomas, ac y mae llwybyr ar hyd y traeth yn arwain yno yn ogystal â'r ffordd gul dros allt-y-môr o'r dref. Ar wastad y ffordd gul honno yr oedd y cwt pren lle'r oedd y bardd yn arfer gweithio. Mae'r drws ynghlo ac nid yw'r crefftwr yn ei weithdy, dim ond papurau ar y bwrdd ac un neu ddau ar lawr; stôf bach i gynnau tân; cadair galed; ychydig o lyfrau, a dwy botel gwrw wag yn awgrym o'r afradlonedd neu'r chwilfrydedd ddaeth â'r diwedd.

Mae grisiau cerrig yn arwain i lawr o'r ffordd at y tŷ ei hun. Tŷ deulawr ydyw yn dilyn gogwydd serth yr allt, a'i ddrws cefn ar un lefel a'r drws ffrynt ar lefel arall is i lawr. Talu rhywfaint am fynd i mewn a chael ei fod yn llawn o'r bardd, ond yn dal yn dŷ heb ei fasnacheiddio gan raib a budr-elwa. Mae cyfrolau a recordiau ei waith yno, yn ogystal â'r cyfrolau bywgraffyddol a'r cyfrolau beirniadaeth lenyddol. Tâp fideo o hanes ei fywyd yn cael ei redeg yn weddus ddistaw yn un o'r llofftydd a'r llais cyfoethog yn adlais yn y distawrwydd. Ystafell arall o hanes a darluniau, llythyrau a chofnodion. Ac i lawr y grisiau, yr ystafell fyw a'r parlwr. Ambell i ddodrefnyn a llun neu ddau. Dim llawer o ddim allan o'r cyffredin. Symlrwydd a thawelwch oedd yn ymylu ar heddwch. Digon cryf i beri i'r ymwelwyr ostwng eu lleisiau mewn rhyw barch annirnad — fel pobol mewn tŷ galar ond heb y chwithdod a'r hiraeth.

Allan drwy'r drws isaf, ac yn ôl i ysblander yr haul, ac i fyny'r grisiau cerrig at falconi gul yn rhedeg gyda'r talcen. Glannau'r afon, a'r dŵr tenau yn ddarn o liain glas a melyn islaw, ac yno yn sefyll yr ochor draw i'r aber agored, nes peri rhuthr yn yr ymennydd fel sbring yn rhedeg, yr oedd y crëyr glas ar ei untroed gosgeiddig yn dal i gadw'i offeiriadaeth ar y traeth. Y person yn digwydd bod yn bresennol wrth allor y dŵr, ac yn dod â'r bardd yn ôl, nid yn ei feidroldeb brau, ond yn dragwyddol fyw yn ei grefft a'i gelfyddyd swrth. Yma y gwelodd y glendid yn y goleuni, yma y clywodd y tonnau pell yn torri; yma y bu'n blasu'r heli ac yn arogli'r gwymon yn y boreau, ac yma y teimlodd y pridd dan ei draed a'r dŵr dan ei ddwylo pan fyddai'r machludoedd yn borffor. Pethau cynefin. Ond o'r defnyddiau cynefin hyn y daeth y creu a grisialodd y weledigaeth mewn geiriau i fod yn brofiad oesol i'r ddynoliaeth. Gweld y tu hwnt i le ac amser fan lle nad yw gormes angau'n arglwyddiaethu, lle gall cariadon golli ond na chyll cariad. Medru sefyll mewn nawnddydd haf er bod gwaed yr Hydref ar ddail y dref islaw. Gwybod mai'r grym sy'n gyrru'r blodyn trwy'r wythïen las sydd hefyd yn dinistrio'r gwraidd. Ac er dinistrio ei oes yntau a rhoi ei gorff chwe troedfedd dan y ddaear oer ar y bryn, mae'r gân honno yn dal i ganu yn Nhalacharn.

Ac mi fydd yn well i ninnau beidio â mynd yn ôl ar hyd y draffordd ond chwilio am ffordd dawelach gyda godre'r Mynydd Du.

Pentymor

’Rydw i wedi dwad o fy lle ’leni ar ôl bod yno am un mlynadd ar bymthag ar higian. Amsar hir i fod wedi aros wrth edrach yn ôl arno fo, ond mi aeth heibio o dymor i dymor yn rhyfadd iawn, ag er na ddois i ddim yn fy mlaen yn gertmon na hwsmon na dim byd felly, fuo gen i ddim lle i gwyno. Mi feddylis i lawar gwaith yn y tymhora cynta y bydda’n well ar les y lle a finna pe bawn i’n hel fy nhipyn petha at ’i gilydd a symud i rwla yn nes at rai o’r trefydd mawr ’na. Neu hyd yn oed newid gwaith. Neu fynd draw ’na. Ond ar yr un cyflog y baswn i, ar ôl i’r undab ddwad a rhoi pawb ar yr un gwastad. Ar wahân i’r rhai oedd ar y ’stada mawr tua Bangor ac Aberystwyth a Chaerdydd ac Abertawe.

Mi oedd y bwyd yn iawn yno o’r cychwyn, er mai byta yn y gegin y byddan ni ar y dechra, ag wrth ’i bod hi’n amsar rhyfal ar y pryd, ’doedd dim disgwyl rhyw ormodadd o beuthyn. Bwyd plaen maethlon — potas pys, lobscows, mwtrin ffa oedd ’no. Dim llawar o ryw betha ffansi wrth drugaradd. Ar wahân i ryw gyrnhinion gwyn fyddan nhw’n neud efo macaroni a chaws, a mi fyddwn i’n arfar meddwl y basa’n dda gen y nghalon i ’tasa neb ’rioed wedi plannu coedan facaroni pan fydda hwnnw’n dwad i’r bwrdd.

Mi gawson ni fynd i le ar ein penna’n hunan i fyta cyn bo hir. A mi ddechreuon ni gael te ddeg. Dim ond llyncu ar ein traed mae’n wir, ond mi ’roedd o’n help i dorri ar ddaliad y bora.

’Doedd y bildings ddim yn hen pan ddechreuis i yno. ’Roedd y lle yn hen, cofiwch. Ymhell dros dri chant oed.

Wedi bod yn perthyn i ryw Esgob neu rwbath erstalwm. Ond mi ychwanegwyd llawar iawn at yr adeilada hefyd yn ystod yr amsar, a gorfod gwneud hynny am bod y stoc wedi cynyddu. Cymryd rhai i mewn o'r llefydd bach oedd o gwmpas yr oeddan ni ar y dechra. A phigo'n dewis a deud y gwir. Mi fydda meistradoedd y llefydd bach yn pigo o'u stoc eu hunan i ddechra — rwla o chwech i bymthag o benna cymysg, yn ôl fel y bydda'i cyfri nhw — ac yn dwad â nhw acw, neu 'u gyrru nhw acw am ddiwrnod er mwyn i ni gael eu hedrach nhw. Wedyn mi fyddan ninna'n pigo'r rhai gora a gyrru'r cwlins yn ôl i gael eu cadw at fagu, ag felly dim ond y dethol fydda'n dwad acw i gael eu porthi — rhai am bedair blynadd ac ambell un am chwech. Mi fuon ni'n llwyddiannus iawn hefyd, a chael gyrru amryw ohonyn nhw i lefydd mawr yn Lloegar lle'r oedd 'na well porthiant ar eu cyfar nhw nag oedd ganddon ni. A mi gafodd amryw *First Prize* — ticad coch, heb sôn am ail a thrydydd a'r *highly commended.*

Ond yn fuan iawn mi ddoth y Llywodraeth i ymyrryd mwy a mwy. Poeni yr oeddan nhw, medda nhw, am y rhai oedd yn mynd yn ôl i'r llefydd bach, ag ofn bod y straen yn mynd yn sâl o achos *in-breeding.* Wedyn mi ddechreuwyd gyrru'r cwbwl acw, ac oherwydd hynny mi fuo rhaid cael mwy o fildings a mwy o ddynion. Ond y camgymeriad oedd mai'r un porthiant oedd acw yn union ag oedd wedi bod erioed. Mi ddoth acw fwy ohono fo ar ffurf *cakes* a *nuts* a phetha felly wedi eu gwasgu. Ond yr un oedd 'i ansawdd o. 'Roedd 'na hen fachgan yn byw yn y lle ces i fy magu fydda'n arfar deud bod 'na adnod fel hyn yn y Diarhebion — 'Na roddwch fwyd labrwr i deiliwr rhag ymgryfhau ohono a thorri yr edau.' Rhywbath felly oeddan ninna'n drio'i neud mae arna i ofn, a'r canlyniad oedd bod bwyd y rhai gora yn mynd yn brin, a'r lleill yn cael bwyd heb fod yn dygymod efo nhw nes eu bod nhw yn mynd i ddysgu castia a thorri dros y terfyna. A fuo 'na erioed raen magu ar betha heb fod yn ymlyfu ond yn treulio'u hamsar yn sefyll wrth y giatia neu â'u penna dros y cloddia.

'Doedd dim dichon dwad i'w nabod nhw chwaith wrth bod yno gymaint ohonyn nhw, ag 'roedd hynny'n anfantais fawr iawn o'i gymharu â'r adag gynt pan oeddan ni'n gwbod o ble 'roedd pob un wedi dwad a beth oedd 'i bedigri o. Anfantais arall hefyd oedd bod y mistar i'w weld lai a llai o hyd am fod yno fwy a mwy o waith ysgrifennu. Nid bod o wahaniaeth ganddo fo, achos mwya'n y byd o benna oedd yno, mwya'n y byd o arian oedd o'n 'i gael — dechra'r grantia 'ma sy' wedi dwad. Ma' nhw'n deud i mi bod 'na lefydd tua Sir Fôn 'na erbyn hyn sy'n cadw cymaint â rhwng dwy a thair mil o benna, a lle nad ydi'r mistar na'r hwsmon yn gneud dim byd ond torri gwaith allan, a chadw dau neu dri o glarcod i helpu. A mae 'na ryw air yn deud — 'clarc a eilw am glarc'. Dyna sut mae hi wedi digwydd beth bynnag yn ôl a wela i byth er pan ddaeth y Llywodraeth i mewn i'r busnas. Mae 'na ddyn i edrach ar ôl yr iard, a mae eisio llenwi fforms iddo fo. Dyn yn edrach ar ôl y beudai, a mae hi yr un fath efo hwnnw. Dyn i edrach ar ôl y peth yma a dyn i edrach ar ôl y peth arall, nes yn y diwadd mae 'na gymaint o ddynion nes bod rhaid cael dynion i edrach ar eu hola nhw.

A deud y gwir, mae'n ymddangos y gallasa' llefydd fel y bûm i ynddo fo gael 'u rhedag heb ddim stoc o gwbwl erbyn heddiw wrth bod y drefniadaeth wedi dwad yn ddiben ynddi 'i hun. Ond mi fasa hynny'n biti rywsut — mi fydda mor ddifyr 'u gweld nhw yn chwara yn y cae yn y Gwanwyn. Neu yn sefyll wrth y drysa i ddisgwyl am gael dwad i mewn ddyddia rhewllyd cefn gaea.

Cofiwch, ella mod i'n henffasiwn — mae rhywun yn

dueddol o fod wrth fynd yn hŷn. Ond mi fydda i'n meddwl amball dro, 'tawn i'n cael ailddechra eto, fasa'n ddim gen i drio mynd yn sgwlmistar. Chreda i byth nad ydi'r rheini yn cael amsar braf gynddeiriog.

Syr Love yn Sbaen

Yr oedd Thomas Love Duncombe Jones Parry, o Blas Madryn yn Llŷn, yn cael ei ben-blwydd yn un ar hugain oed yn y flwyddyn 1853. Yn y flwyddyn honno hefyd y bu farw'r hen ŵr ei dad, a gadael Thomas Love yn aer un o'r stadau cyfoethocaf yn y cyffiniau.

Un diddorol ydi'r enw 'Love' yma. Trwy werthu a chyfres o briodasau, fe ddaeth stad Madryn yn eiddo i Margaret Parry o Gefnllanfair. Ei gorhendaid hi oedd Sieffre Parry o Rydolion — un o ffermydd mawr glannau afon Soch — Piwritan amlwg, swyddog ym myddin Cromwell, a phregethwr — yr hen gymysgfa danllyd honno a fu'n gymaint o reswm dros greulonderau'r Pengryniaid. Ond sut bynnag yr oedd hen ryfelgi felly ar faes y brwydrau, yr oedd o'n ddigon duwiolfrydig ar ei aelwyd i alw ei fab yn Lovegod Parry. Talfyriad o'r Lovegod hwnnw oedd y Love yma oedd yn nheulu Madryn.

Mae'r enw ar gael o hyd — yn gam neu'n gymwys — yn yr ardaloedd acw. 'Love' oedd y brenin diwethaf fu yn Enlli. Ac mi fyddai'n rhyfedd gan yr hen greadur hwnnw feddwl bod urddasolion y ddaear wedi gwerthu'i frenhinaeth o erbyn hyn.

Ond dyna fo — yr oedd byddigions yn fyddigions pan ddaeth aer Madryn i'w oed, ac fel eraill o'r un cyfnod, mi aeth yntau efo'i arian mawr i grwydro hyd y cyfandir yn rêl hogyn drwg am flynyddoedd mae'n beryg. Hel diod. A phethau eraill hefyd. Petai waeth am hynny.

Pan oedd o'n chwech ar hugain, mi drefnodd y sgweiar i fynd â'i fam a'r ferch oedd o'n ganlyn ar y pryd i Gibraltar i fwrw'r Nadolig a'r Flwyddyn Newydd. Un o Sir Fôn oedd y ferch — Miss Griffith, Y Garreg-lwyd, Llanfaethlu, ac ar yr wythfed o Dachwedd dyma Lady Jones Parry a'i darpar ferch-yng-nghyfraith yn ei chychwyn hi o Southampton am Lisbon ar eu ffordd i Gibraltar. Fedrodd Thomas Love ddim cychwyn efo nhw — busnes wedi ei gadw fo'n ôl. Mi fu'n lwcus hefyd achos roedd hi'n fordaith stormus ddychrynllyd — rhy stormus i'r Capten fedru mynd drwy'r gwasanaeth y bore Sul y cyrhaeddon nhw Lisbon.

Er dirfawr siom i'r ferch ifanc ddeunaw oed, 'doedd Thomas Love — Capten Parry, capten soldiwrs — ddim yn Lisbon yn cyfarfod y llong chwaith er ei fod o wedi addo bod yno. Llythyr yn yr hotel yn egluro bod Mr Breese, twrnai'r stad, wedi marw a Love yn gorfod mynd i'r cynhebrwng. Yn ôl y dyddiadur oedd hi'n ei gadw, dyddiau anesmwyth gafodd hi i ddisgwyl wrtho, — darllen, siopio, chwarae cardiau a mynd i'r opera. Ei chalon drom yn ei chadw'n effro'r nos. A phe bai ei chalon heb fod yn drom, mi fuasai wedi bod yn anodd cysgu o achos y daraegrynfâu a'r stormydd terfysg oedd yn cynhyrfu'r lle. Miss Griffith druan!

Ond dydd Gwener dyma'r carmon o Lŷn yn cyrraedd yn ei holl ogoniant am naw o'r gloch yn y bore. Wedyn cwpaned o de a rhannu'r presantau. 'Such pretty things', meddai'r dyddiadur — dwy fodrwy, dau ddwsin o barau o fenig, hances am ei phen, heblaw chwip 'a rhai pethau bach eraill'. Brecwast am hanner dydd, ac am ei bod hi yn rhy wlyb i fynd allan, Love yn darllen iddi yn y pnawn. Fel 'Love' y mae hi'n cyfeirio at y carmon pan maen nhw ar delerau. 'Captain Parry' pan fydd pethau heb fod mor olau.

Mae hi'n mynd yn llai ac yn llai o 'Love' ac yn fwy a mwy o 'Captain' yn yr wythnosau nesaf. Bwyta, yfed, chwarae cardiau (am arian hefyd) a mynd i siopio a mynd i'r opera y buon nhw. Ac fesul tipyn, o dref i dref ac o brothladd i borthladd, teithio i'r deheubarth. Mynd i weld ymladd teirw. Lady Parry yn mynd yn sâl ac yn gorfod mynd allan, ond Love a hithau yn aros i weld lladd wyth o deirw o un o'r gloch tan bedwar, a mwynhau gweld y mulod yn llusgo'r teirw marw allan.

Erbyn dechrau'r flwyddyn mae'r parti wedi cyrraedd Gibraltar, ac un o fwyniannau'r byddigions ar eu gwyliau yno oedd cael mynd dros y ffin i Sbaen yng nghwmni rhai o swyddogion y fyddin i ddilyn cŵn hela. Trefnwyd diwrnod i 'Captain Parry'.

Mae Miss Griffith yn treulio mwy a mwy o'i hamser yng nghwmni ei mam-yng-nghyfraith erbyn hyn. Aeth hi ddim i hela y diwrnod hwnnw chwaith. Hwyrach na ofynnodd neb iddi hi. P'run bynnag — y noson honno mae Capten Parry wedi ei gymryd i'r ddalfa ac yn garcharor yn y carchar cyhoeddus yn Algeciras. Beth ddigwyddodd? Wel dyma ddarn o'r llythyr a anfonodd o o'r carchar i'r llysgennad Prydeinig.

'Tua hanner awr wedi naw yn y bore, cychwynnais i a Mrs Parry, yng nghwmni Mr Rumbold o'r Ffiwsileiriaid, i hela. Ymunodd Mr Gurney a Mr O'Brien â ni, ac aethom ymlaen felly ar drot ysgafn nes dod at y fynedfa i diriogaeth Sbaen. Neidiodd milwr allan o'r ochor wrth i ni fynd drwodd a rhuthro i ffrwyn march Mrs Parry a pheri iddo neidio a pheryglu ei chyfrwy. Yng ngwres y funud, mi drewais innau ddyrnod neu ddwy i'r milwr gyda chwip bach, a marchogaeth ymlaen, ond rhuthrodd milwr arall arnaf gan weiddi a rhegi i'm hatal, a daeth gwladwr mewn sombrero fawr i'w helpu a thynnu cleddyf allan o gansen i'm bygwth i a'r ceffyl. Rhoddais innau sbardyn i f'anifail, a'i chystwyo hi o gwmpas efo'r chwip, a dianc o'r sgarmes a'r cleddyf wedi glynu yn ysgwydd fy ngheffyl. 'Roedd rhagor o filwyr yn cau amdanaf ond rhuthrais a chael drwodd. Nid oedd olwg o'r lleill, a throis yn ôl a chyfarfod Mr O'Brien yn dod ar f'ôl i ddweud fy mod wedi cyflawni trosedd difrifol gan fod y dyn a drewais yn wyliedydd swyddogol, yn gwneud ei ddyletswydd trwy atal pobl farchogaeth yn wyllt drwy'r rhwystrau. Dywedodd fod y swyddog wedi dal Mrs Parry a'r lleill yn ôl ac y byddai'n well i mi ddychwelyd ac ymddiheuro. Er i mi wneud hynny ar unwaith yr oedd y swyddogion yn ymarhous i ollwng fy nghyfeillion. Bu iddynt gytuno yn y diwedd, ond cymerwyd fi i'r carchar a'm cadw yma.'

Yr oedd Capten Parry mewn mwy o drwbwl nag yr oedd wedi breuddwydio, am fod taro swyddog y goron wrth ei waith yn gyfystyr ag enllib i'r goron a bod hynny yn haeddu dienyddio'r troseddwr. Nid oedd unrhyw amheuaeth o euogrwydd y carcharor. Yr oedd i sefyll ei brawf gerbron llys milwrol ac fe'i dedfrydid, a'r drefn arferol oedd cario allan y ddedfryd yn gynnar drannoeth. Heb ymyrryd ar frys gallai'r carcharor yn hawdd iawn gael ei hun yn wynebu'r gynnau yn iard y carchar cyn i neb fedru codi bys i'w helpu. Mi fu rhuthro mawr i gael gan yr awdurdodau Sbaenaidd i atal gweithredu ar unwaith. Wedi hir drafod a gohebu, bu'n rhaid atgoffa brenhines Sbaen fod ei Grasusaf Fawrhydi y Frenhines Victoria wedi dangos ei hynawsedd caredig tuag at un o forwyr Sbaen a deiliaid i'w Goruchaf Fawrhydi Brenhines Sbaen pan oedd y morwr hwnnw yn wynebu'r gosb eithaf am drosedd yn Llundain, ac mai disgwyliad erfyngar ei Mawrhydi Brutanaidd oedd y byddai ei Goruchel Gynghreiriad Sbaenaidd yn dangos yr un hynawsedd trwy estyn pardwn rhad i'r troseddwr Thomas Love Duncombe Jones Parry.

Mi gynhaliwyd cyfarfodydd gweddi arbennig i ofyn am

arbediad y gŵr bonheddig yn holl bentrefi a llannau Llŷn. Pa un ai gweddïau'r saint ai gweithgareddau'r diplomyddion a'i harbedodd — daeth y carcharor yn rhydd ar y pumed o Fawrth.

Ond beth am y 'Mrs Parry' oedd yn y llythyr? Wel dim ond bod y Capten wedi meddwl y byddai digofaint yr awdurdodau yn llai at ŵr priod yn ei ddicllonedd cyfiawn dros sen i'w wraig nag at gariad rhyw Miss Griffith oedd yn wilihoban dros y ffin ar ôl llwynog yng nghwmni 'merch ifanc o blwy arall'. Yn fuan iawn yn yr ohebiaeth yr oedd 'Mrs Parry' wedi troi yn 'y foneddiges'. Pawb â'i farn am hynny hefyd. Miss Griffith druan!

Ymhen deng mlynedd yr oedd Jones Parry yn ennill sedd Sir Gaernarfon i'r Rhyddfrydwyr a bu'n arwr mawr y blaid honno am ugain mlynedd — hyd cyffredin poblogrwydd aelodau seneddol sir Gaernarfon.

Beth amser yn ôl, ar bnawn Sul, fe roddwyd Plas Madryn ar dân am ei fod o wedi mynd yn rhy beryg, a'i wneud yn garnedd o gerrig i gael lle i faes carafanau. Petái Miss Griffith wedi digwydd bod yn ymsymud ymysg y coed y pnawn hwnnw, tybed fyddai'r fflamau wedi cadarnhau ei chred mewn tân uffern?

Agwedd ar Emynau

’Doedd yr hen fachgen ddim yn medru darllen ond fynnai o ddim ar fôn ei fywyd i neb wybod hynny chwaith, ac felly mi fyddai’n agor ei lyfr emynau mor ddefosiynol ag unrhyw bregethwr, yn cyhoeddi’r rhif yn eglur, ac yn ledio’i emyn. Yr un fath bob tro —

Pe meddwn aur Pen-rhiw
A pherlau Lydia bell...

’Roedd teulu ariannog iawn yn byw yn ffarm Pen-rhiw yn agos i’w gartref pan oedd o’n hogyn. Eu cyfoeth nhw oedd ‘aur Pen-rhiw’ mae’n debyg. A Lydia? ’Roedd ei chwaer o wedi priodi bancer, a’u merch nhw, Lydia, nith yr hen fachgen, erbyn hynny yw byw ei hun wedi colli ei thad a’i mam, draw tua’r Rhyl neu Brestatyn. Hithau wedi etifeddu cyfoeth ei rhieni. Ac ymhell iawn.

Mae camgymeriadau bach fel hyn yn bethau digon naturiol mae’n siŵr. Peth gwahanol iawn oedd o i’r Cymry bach taeog hynny fyddai’n cael eu breintio yn yr ysgol ddyddiol â gwybodaeth honedig o Saesneg ond yn dal i ddeud eu pader fel John Gwilym Jones yn, ‘Owen ffaddyr wudd ddy chart in hefn Harold bi ddei nêm’ — peth gwahanol oedd iddyn nhw fethu deall. Ond yr oedd yr emynau yn Gymraeg ac fe ddylai eu delweddau fod yn ddealladwy. Mae’n debyg mai gwneud pethau yn ddealladwy oedd amcan mân gyfnewidiadau gan hen gyfaill arall a fyddai’n dyfynnu ar ei weddi —

Calon lân yn llawn daioni
Tecach yw na Lili Jones...

Nid bod neb eisio bod yn feirniadol o’r emynau, ond a deud

y gwir, peth amwys a niwlog iawn ydi 'lili dlos'. Ond mi oedd Lili Jones yn fod meidrol o gig a gwaed, yn athrawes yn ysgol Penfforddfelen yn ymyl, yn glws ddigon o ryfeddod, ac mi oedd hi'n haws o lawer deall peth felly na 'lili dlos'.

Ond i ddod yn ôl at y mater — ac 'aur Pen-rhiw'. Y rhyfeddod ynglŷn â hynny oedd digwilydd-dra'r crymffastia bach fyddai'n eistedd yn y sêt o dan y cloc yn y seiat a'r cyfarfod gweddi. Wn i ddim faint oedd eu hoed nhw ar y pryd, ond gorau po 'fenga er mwyn i'w plentyndod nhw esgusodi rhywfaint ar eu hyfdra. Achos yn ardderchowgrwydd eu gwybodaeth, yr oeddan nhw yn gweld yn dda i sbio ar ei gilydd drwy'u bysedd ag i biffian am fod yr hen fachgen yn deud 'aur Pen-rhiw' a 'perlau Lydia'. Os buo plant eisio'u gwyrtysu erioed!

I ddechrau, 'doedd yr un ohonyn nhw'n gwybod bod 'na'r fath le â Phen-rhiw na'r fath ddynas â Lydia, heb sôn am wybod fel yr oedd teulu Pen-rhiw wedi crybina oes i bentyrru arian, neu wybod am yr arian mawr oedd tad Lydia wedi bod yn ei ennill yn y banc. A pheth arall — 'doedd ganddyn nhw'u hunain ddim mo'r syniad lleiaf am ystyr Peru. 'Doedd o'n golygu dim mwy nag oedd Chimborazo Cotopaxi yn ei olygu yn ddiweddarach. A 'doeddan nhw ddim hyd yn oed yn gwybod mai'r gair India oedd yn y geiriau 'injiarybar' ac 'injiaroc'. Rhywbeth i'w wneud efo injian oedd hwnnw iddyn nhw. Ac eto, y nhw oedd yn chwerthin. Mewn difri 'te!

Ond peth arall gwaeth na'r cwbwl oedd yn tynnu oddi wrthyn nhw oedd mor ddychrynllyd o ddiffygiol oedd eu hamgyffred nhw'u hunain o gymhlethdodau delweddau mawr yr hen emynwyr. I feddwl eu bod nhw'n chwerthin. Ac eto, bod emyn bach mor obeithiol â 'Cael bod yn fore', yn gwneud i'w stumog nhw droi am mai ffenest siop bwtsiar a'i llond hi o iau mawr brown a phlentyn bach yn gwingo o dano fo oedd eu hymateb nhw i'r ddelwedd. Ac 'roedd hi'n waeth byth y gallai hynny ddigwydd i rywun yn y bore — yr adeg ar y dydd pan ddylai bywyd fod yn o syml. Mi ellid disgwyl cosbau pechod at amser te neu gyda'r nos. Ond nid yn y bore.

'Diniweidrwydd plentyn bach' meddech chithau. Ond cofiwch chi yr un pryd mai nhw oedd yn chwerthin am ben 'Pen-rhiw' a 'Lydia'. A dyna pam na welaf i ddim byd o'i le mewn deud fel hyn ar goedd gwlad am eu dehongliadau hwythau. Dyna'r Nase hwnnw oedd efo Magdalen pan gafodd hi ei golchi'n ddisglair. Rhyw ddau bechadur fel Deian a Loli a'u penna-gliniau nhw a rownd eu cegau nhw'n fudur oedd yn rheini. Fu 'Haleliwia' a 'Hosanna' erioed yn golygu dim, er bod a wnelo'r cyntaf rywbeth â chwerthin, achos 'roedd o'n 'Ha-ha leliwia' mewn un canu, ond fu yna erioed ddatrys ar y 'sanau' yn yr ail, mwy na rhyw syniad niwlog eu bod yn perthyn rywsut neu'i gilydd a bod eisio eu rhoi nhw i Fab Dafydd. Gwrthrych tosturi oedd Dafydd am fod yna ryw ffynnon yn mynd i 'olchi Tŷ Dafydd o'r bron'. 'Roedd yr enw ei hun yn ddigon dealladwy fel enw lle — 'doedd Cae Ddafydd dim mwy na thafliad carreg o'r capel. Ac 'roedd yna ddigon o 'dai', fel Tŷ Fry a Tŷ Popty a Tŷ Mawr a Tŷ Bet. Tai glân iawn i gyd — gwahanol iawn, mae'n rhaid, i Dŷ Dafydd druan, pwy bynnag oedd o a'i fab troednoeth. I addolwyr y sêt o dan y cloc rhaid bod yna gysylltiad pwysig rhwng y capel a glanweithdra, achos yr oedd yna lawer iawn o bobol a llefydd, fel yr Ethiop, naill ai wedi cael neu yn mynd i gael eu golchi. Lle yr un fath â'r capel oedd Yr Ethiop, a Merch yr Amoriad oedd am ei llnau o, ac am ganu ar dop ei llais wrth wneud, am ei bod hi mor falch ei bod hi ei hun wedi dod yn rhydd, mae'n debyg.

'Roedd y jêl yn beth arall pwysig yn y cefndir delweddol

yma hefyd. 'Doedd mynd i'r jêl ddim yn ganmoladwy yr adeg honno. Ond yr oedd pobol y sêt o dan y cloc yn y caethiwed bob dydd o'u hoes, a phan fyddai 'carcharorion angau yn dianc o'u cadwynau' dros y festri, y nhw eu hunain fyddai eu delwedd yn cael eu gollwng allan am ugain munud i bedwar; 'a'r ffordd yn olau dros y bryn' yn llythrennol wir i fyny Allt 'r Efail a Dorlan Goch; 'o ddyfnder glyn gofidiau' y sefydliad addysgol oedd tua hanner y ffordd i lawr i waelod y plwy. Ac er bod Lili Jones ei hun yno, 'doedd hi ddim yn ddigon i wneud iawn am y caethiwed. 'Roedd yna addewidion amwys y byddai'r athrawon eu hunain yn y jêl ryw ddiwrnod — 'ein holl elynion ni yn awr, mewn cadwyn gan y Brenin Mawr', ond dim byd pendant yn deud pa bryd y bydden nhw yn debygol o fod yn mynd — hyd yn oed ar ôl i'r 'pen nionyn bach' droi yn 'mhen gronyn bach'.

Yr oedd cymaint o bethau anghywir mewn llawer o'r emynau. 'Doedd 'cariad fel fflamau angerddol o dân' ddim yn golygu llawer iawn o ddim byd. Ond yr oedd yna ddarlun clir iawn o rywun ar ei fol ar lawr a'i ben dros y dorlan yn 'yfed yr afon i gyd'. Ac wrth gwrs, yr oedd hynny yn beth hollol amhosib mewn gwirionedd. Mi allai ddigwydd yr un fath ag efo'r dyn yn y Pafiliwn ar bnawn Sadwrn ella. 'Roedd hwnnw yn yfed llond jwg o ddŵr, ac fel yr oedd y dŵr yn mynd i lawr ei gorn gwddw fo o'r jwg, 'roedd o'n dod allan drwy beipen o'i glust o i jwg arall. Yr un faint yn union. Ond majig oedd hynny, wrth gwrs. A p'run bynnag mae yna wahaniaeth rhwng yfed jygiad ac yfed afon.

Amheus iawn hefyd oedd ambell i gyngor. Dyna'r un oedd yn deud, 'tra fwy'n byw ym myd y pechu, canlyn dani bura f'oes'. Mi oedd Dani — Daniel oedd ei enw iawn o — yn hogyn iawn, wrth reswm. 'Fengach, mae'n wir, ond heb ddim byd arbennig wahanol ynddo fo. Yn sicr, dim byd i beri i neb gredu y byddai ei ganlyn o yn puro oes rhywun — beth bynnag oedd hynny'n ei feddwl hefyd.

A sut byddai pethau pe byddai'r dyhead hwnnw, 'Llosg fieri sydd o'm cwmpas' yn digwydd dod yn wir yng nghanol mis Medi a hithau yn amser hel mwyar duon? Mae'n wir bod y pennill wedyn yn addo 'manna nefol', ond wyddai neb i sicrwydd sut beth oedd hwnnw. Yn ôl yr athro Ysgol Sul, 'rwbath go ddiflas a merfaidd fel macaroni ne' sego wedi bod yn wlych mewn dŵr a heb ddim siwgwr ynddo fo'. Cyfnewid go dila am fwyar duon, yn enwedig wrth feddwl bod yno griw ohonyn nhw am fynd i drafaelio arno fo — 'mi a' mlaen, a doed a ddelo, gwraig a theulu ar dy ôl'.

Mae rhai beirniaid yn dal allan bod perffaith ryddid i bawb ddarllen yr hyn a fynno i mewn i farddoniaeth. Os felly, hwyrach bod cyfiawnhad i'r rhai oedd yn piffian. A chyfiawnhad i'r lediwr emynau. Pe bai modd eu cael nhw yn eu holau heno i'r sêt o dan y cloc yn y festri, a'i gael yntau i ledio'i emyn — 'Pe meddwn aur Pen-rhiw a pherlau Lydia bell' — tybed fuasa' nhw'n chwerthin? Ynteu crio buasa nhw?

O bydded i'r Hen Iaith

"Be wyt ti'n feddwl o fusnas yr iaith 'ma?" gofynnodd Defi Jones y noson o'r blaen ar ôl iddo dynnu'r gadair freichiau yn ddigon agos at y tân i fedru rhoi un troed ar y ffendar a chyrraedd ei law dde, oedd yn las o annwyd, o fewn dwy fodfedd i ffon y grât i'w chynhesu. Gofyn cwestiynau er mwyn rhoi ateb yn hytrach nag er mwyn cael un y bydd Defi, ac felly 'doedd angen dim byd ond yr ebwch arferol o "Wel... y...." iddo gael mynd yn ei flaen ac ailafael.

"Ia felly 'roeddwn i'n meddwl y basa ti'n deud. Wel mi ddeuda i wrthat ti. Gwastraff amsar."

"Be? Siarad Cymraeg?"

"'Does yna fawr neb yn 'i siarad hi yli, dim ond gneud i thwrw hi yn 'u gyddfa. A waeth i ti dwrw Saesnag mwy na thwrw Cymraeg os cei di be wyt ti eisio wrth 'i neud o, boed hynny yn beint o gwrw yn y Bull ne yn chweigian at genhadaeth yn 'r Ysgol Sul.

Mi oedd 'na ryw lefran o hogan bach yn y nghyfwr i pan oeddwn i'n dwad yma rwan. Peth bach ddel gynddeiriog oedd hi hefyd — un o'r petha diarth 'ma ma'n siŵr gin i. 'Sut 'dach chi heddiw 'ngenath i'?' me'n i fel'a — ryw air wrth basio. Wyddost ti be ddeudodd hi? 'Ia' me hi, yn wên o glust i glust a'i llgada hi'n pefrio. Cofia, os mai Saesnas oedd hi ella nad oedd hi ddim yn 'y nallt i."

Bod yn fentrus a dweud, "Hwyrach mai 'Haiya' oedd hi'n ddeud Defi Jones."

"Dyna oedd hi'n ddeud — 'dydw i newydd ddeud wrthat ti. 'Ia' medda hi fel blodyn bach. Ond 'doedd o ddim yn siarad yn nag oedd? Twrw. A'r un peth sydd yn digwydd bob tro — mwya'n y byd ydi'r criw, mwya'n y byd fydd y twrw. Criw mawr — twrw mawr.

Pan oedd Cadwalad Pen-bryn yn dal tir acw rywdro flynyddoedd yn ôl, mi ddoth â chiang o wartheg a defaid acw i bori. Ryw betha gweigion a dau ne dri o fustych; tipyn o grabaits, a deud y gwir, oedd y gwartheg. Croesiad Bordar Lestars oedd y defaid. Digon del. Ond mi oedd yno un hen ddafad fawr yn mynnu canlyn y gwartheg, a fynna hi ddim mynd yn agos i'r defaid erill. 'Doedd 'na ddim byd yn wrywaidd na dim felly ynddi hi. Dim ond 'i bod hi'n fawr fel llo, yn uwch o'i 'sgwydda i fyny na dafad gyffredin. Ac yn mynnu canlyn y gwartheg ble bynnag 'roeddan nhw'n mynd. 'Does 'na ddim dowt nad oedd hi'n meddwl mai buwch oedd hi. Mi fydda'n codi o'i gorfadd fel buwch — dal 'i chrwpar yn yr awyr am hir er mwyn i bawb 'i gweld hi cyn sythu ar 'i choesa blaen. Ond 'i sŵn hi oedd y peth rhyfedda. 'Roedd hi'n llwm acw — ha' wedi bod yn sych a fawr o dŵf ddiwadd flwyddyn — a Cadwalad ne un o'r hogia yn dwad i ddanfon belan at ganol dydd. A phan fydda'r picyp yn yr adwy, mi gychwynna'r hen wartheg ar ryw hannar tuth fel y byddan nhw, i lawr at y llidiart. A hitha ryw hyd mochyn y tu ôl iddyn nhw *if you please* yn trio rhedag yr un fath yn union â buwch — ryw natur haldian o ochor i ochor. Wedi cyrraedd at y picyp a chyn i'r belan gael 'i lluchio iddyn nhw a'i datod, mi fydda'r gwartheg yn rhyw fudur frefu'n ddistaw felly. A mi fydda hitha yn trio gneud yr un fath. Cau 'i cheg yn dynn a rhyw sŵn digrifa fel tasa hi yn canu desgant. Ond dyna fo — dynwarad y mwyafrif yr oedd hi. Felly mae hi'n digwydd.

Welis i acw ryw hen iargyw hefyd ryw dro — hen lymbar mawr llonydd, hyll a deud y gwir. A mi 'roeddwn i'n magu rhyw ddau ddwsin o geiliogod mewn darn o'r ffolt ieir ar y pryd. Mi fydda'r rheini yn dechra canu fel rhai Wilias

Parry gyda'i gleuad hi bob dydd, ac er mai efo'r ieir yr oedd o, mi fydda wedi cael 'i hun at y weiran wrth ymyl y ceiliogod ac yn 'mestyn 'i gorn gwddw a'i ben i fyny a'i big yn 'gorad yn trio canu. Mi fydda'n 'i chael hi yn weddol hawdd canu rhan gynta'r gân mor bell â'r a-dwdl. Ond mi fydda'n cracio ar y dŵ ar y diwadd fel ffliwt a gliw ynddi hi. 'Fydda'r ceiliogod yn rhoi'r gora i ganu ar ôl cael eu bwyd rhwng naw a deg, ond ar ôl rhyw egwyl bach o ddistawrwydd mi ddechreua'r ieir glochdar i frolio eu bod nhw wedi dodwy. Ac mae o mor wir â'r padar i ti, mi fydda ynta wedi 'i ffatian hi at dalcan y cwt ac yn 'i mestyn hi yr un fath yn union i drio dynwarad yr ieir. Yn iawn wedyn — yr un fath — ar y clwc-clwc-clwc cynta, ond yn racs gyrbibion wedyn ar y clw-wc mawr hir ar y diwadd. Fel tasa ti yn meddwl am fariton ac alto yn trio canu 'Lle Treigla'r Caveri'. Ond dyna fo — methu am na wydda fo ddim i bwy 'roedd o'n perthyn yr oedd ynta hefyd. Ac na wydda fo ddim yn iawn beth oedd o chwaith ma'n siŵr. Digon tebyg ydi hi efo ninna a'n sŵn.

Meddwl di am y peth o ddifri, a mi sylwi mai 'chydig felltigedig o iaith sydd gan bobol ym mogra'r byd yma erbyn hyn. Tyn di allan yr ebychiadau fel 'A' ac 'W' a 'Hyw' a tyn allan y rhegfeydd fel 'Duw' a 'diawl' ac 'O mi God', a wedyn tyn allan y geiria llanw fel 'deud yr ydw i' a 'wyddoch chi be' 'dw 'i'n feddwl' a 'ond wedi deud hynny' — a 'does yna fawr o ddim byd ar ôl. 'Chydig o neb sy'n llefaru brawddega cyfeuon, cyflawn. Pa bryd y clywist ti sgwrs ac un yn gofyn cwestiwn mewn dilyniant o eiria wedi'u dethol, ac yn cael atab yn cydio yn rhesymol wrth y cwestiwn ac yn gneud gosodiad llawn i'w gyflawni yn ddarn o fynegiant eglur? Neu rywun yn gneud sylw am rwbath neu'i gilydd a rhywun arall yn gwneud sylw cymharol neu gyfatebol neu ddibynnol neu ddadansoddol, a hynny yn tyfu yn sgwrs yn cael 'i siarad mewn iaith. Ond ma'r twrw yn swnio yn iawn yn amal. Dydi hynny ddim yn anodd. Gwrando di ar Dalwrn y Beirdd. Neu, yn well byth, gwrando ar y Senadd ar y telifision yn pnawnia os wyt ti am glywad twrw siarad o ddifri. Un yn sefyll ar 'i draed — neu 'ei thraed' yn eno'r fendith — yn torri geiria ac yn gneud sŵn yn union fel pe bai o — neu hi — yn deud rwbath. A'r lleill i gyd yn gweiddi ac yn brefu ac yn udo nes y byddan nhw yn colli'u tymar a dechra cyfarth a chipial a rhuo. Iaith yn cael 'i siarad wir!

A dyna i ti ddrama wedyn. Ma' drama wedi gneud lanast. Be' 'di drama erbyn heddiw? Rhyw lefran o hogan yn sefyll ar ben bocs yn edrach ar yr actor arall yn sefyll ar lawr. A'r deialog rhwng y ddau?

'Reit?'

'Reit.'

'Dallt?'

'Dallt.'

'Gweld?'

'Gweld.'

'Rwan?'

'Rwan hyn.'

Ac mae'r hogan yn neidio i lawr o ben y bocs a'r hogyn yn neidio i fyny. A, medda nhw, mae golygfa fel yna yn medru troi yn brofiad theatrig dirdynnol i'r gynulleidfa — wedi cyfleu yr holl denisynau ffisiolegol a seicolegol heb sôn am feiolegol sy'n meddiannu'r gymdeithas wrth i gydraddoldeb rhywiol gael 'i dderbyn fel y norm mewn bodolaeth wâr, amhatriarchaidd, anfatriachaidd lle mae'r theatr yn mynegi dyheadau dyfnaf y gymuned. A'r gymuned yn 'i thro yn cael talu am gadw'r theatr. A mi fydd y profiad yn fwy ysgytwol byth os bydd gin yr hogyn wallt melyn a llgada glas a'r hogan wallt du a chorff fel styllan.''

"Ond Defi Jones..."

"A ma'r rhai telifision 'ma yn waeth wedyn. Gwynab mawr hyll yn llond y sgrin. Conglau'r geg wedi'u troi i lawr, a'r llygad chwith yn rhoi winc fawr hir i gyfleu y cyfrinacholrwydd a'r dirgelwch sydd yn hanfod creadigaeth. Ac mae'r llunia yn deud y cwbwl medda nhw. Wedyn 'does dim angan iaith a'i llond hi o eiria i gael eu clymu wrth 'i gilydd yn frawddega. Mae dyddia petha felly wedi mynd heibio."

Mewn eiliad o ddistawrwydd, mentro gofyn,

"Gweld golwg go ddigalon ar betha yr ydach chitha hefyd felly Defi Jones?"

"Be' wyt ti'n feddwl?"

"Wel bod y dyfodol yn ddu iawn ac y bydd hi wedi marw ymhen ugain mlynedd?"

"Be wedi marw? Yr iaith Gymraeg?"

"Wel ia..."

"Hy! Gerr-off! Nefar!"

Tennyn Pen Bawd

Mae'n debyg nad oes neb yn gwneud tennyn pen bawd erbyn hyn. Rhaff wellt bach den oedd o, a'r gwellt wedi ei dynnu yn gudynnau hir, taclus a'i droi efo'r llaw dde trwy gledr y llaw chwith a'i weindio yn daclus am y bawd nes ei fod o yn rhyw lathen o hyd ar ôl ei agor ac yn gryfach na thennyn cyffredin. 'Ma hwn'na'n ddigon cryf i dwsu tarw', meddai un hen gymydog wrth roi un pen i'r tennyn dan wadn ei droed a thynnu yn y pen arall nerth ei freichiau. Rhan o osod trefn y ddynoliaeth ar yr anrhefn sydd ym myd natur oedd diben pob tennyn a rhaff.

Pladurwr mewn cae ŷd adeg cynhaeaf yn lladd arfod ar ôl arfod a'r cnwd pendrwm yn disgyn yn esmwyth, a'r wanaif yn cael ei chynnal ar ei lled-orwedd yn erbyn yr ŷd fyddai ar ei draed. A rhyw bedwar neu bum hyd mochyn y tu ôl i'r pladurwr, y gŵr efo'r cryman yn ei ddilyn a chodi cowlaid lond cryman yn daclus, pob gwelltyn yn ei le fôn wrth fôn a brig wrth frig a'i gosod ar y ddaear lle byddai ôl traed y pladurwr fel rheiliau trac y lein-bach. Wedyn gwneud tennyn i'w rhwymo efo dwy lawiad o'r ŷd, a'u cychwyn o'r canol a'r brig drwy'i gilydd a throi nes cyrraedd y ddau ben a tharo un pen dan y cesail rhag ofn iddo ddatod tra byddai'r codwr yn gwyro dros y seldrem a rhoi'r rhaff amdani a thro wedyn yn ei dau ben i wasgu'r ŷd yn ysgub a'i chanol main fel canol merch a'i sgert yn lledu at y godre. Y 'sgubau hynny wedi eu gosod ar eu traed yn dynn yn erbyn ei gilydd fyddai'n gwneud y styciau ŷd oedd yn rhan mor amlwg o ddelwedd yr Hydref mewn rhamant.

Y Beindar ddechreuodd ddiwedd clymu sgubau ŷd a

gwneud tennyn. Llinyn yn dirwyn o'i fol fel pry copyn olwynog a pheirianwaith mor gymhleth â pherfedd injian wnïo yn clymu, ac yna'r lluchio difater, mecanyddol, amhersonol fel pe bai'r ŷd wedi ymyrryd â rhyw bwrpas cudd dieflig o droi a llyncu a throi a llyncu.

Erbyn hyn mae'r Combein wedi disodli'r Beindar, a chynhaeaf ŷd wedi mynd yn ddim mwy na'i weld yn diflannu i grombil yr anghenfil ac yn dod allan yn rawn a gwellt heb na diwrnod cario na diwrnod dyrnu na dim arall yn ei aros, dim ond y gwellt yn cael ei gnocio yn fyrnau sgwâr yn y belar. 'Roedd gwneud teisi ŷd fyddai'n siŵr o wrthsefyll stormydd gwynt a glaw yn waith crefftwr, ond 'does yna ddim crefft mewn gosod byrnau gwellt yn bentyrrau ar ei gilydd, ac mi wnaiff hen darpowlin blêr i'w roi drostyn nhw yn lle bod eisiau troi rhaffau i doi. Gwellt neu wair oedd deunydd y rhaffau hir hefyd, ac mi allai dau, un yn troi ac un yn gollwng, gynhyrchu llathenni laweroedd mewn pnawn. Strap am eich canol a dau bren rhaffau wedi eu bachu ynddo os byddai ganddoch chi ddau yn gollwng, a symud wysg eich cefn gam wrth gam fel y byddai'r rhaff yn ymestyn. Ac mi fedrai gollyngwr da gadw trwch ei raff yn union yr un faint o un pen i'r llall. 'Roedd yna ryw deimlad o ddiogelwch a diddosrwydd mewn gweld pentwr o raffau yn barod i gael eu defnyddio wedi eu troi yn dorchau arnynt eu hunain.

Mae'n debyg mai o grefft troi rhaffau y daeth y ddwy idiom am ddau wahanol fath o storïwr i'r iaith. Porthmon llefydd bach oedd y storïwr, wedi bod yn gweithio yn y gwaith aur pan oedd o'n hogyn ifanc, ac wedi cael profiadau fyddai'n codi gwallt eich pen chi heb sôn am brofi'ch credinrwydd chi. Rhaffu celwyddau 'roedd o meddai rhai, ond pa hawl oedd ganddyn nhw, nad oeddan nhw erioed wedi gweld fawr pellach na Sir Fôn, i fynd i feirniadu a chodi bys at ddyn oedd wedi hel ei bac a mynd i'r gwaith aur a'i lond o o bobol dduon yn Affricia? Lle iawn i bobol dduon fyw ond rhy boeth i'r rhan fwyaf o bobol wynion. Mi fyddai dynion duon yn y gwaith aur yn sefyll ar eu pennau bob hyn a hyn er mwyn i'r gwaed redeg o'u traed nhw, achos mi oedd y ddaear mor boeth fel bod y gwaed oedd yn eu traed nhw yn mynd mor denau nes byddai peryg iddyn nhw gael bendro. Wedyn 'fyddai syn yn y byd i chi weld dyn du ar ei ben ar lawr a'i goesau yn chwifio yn yr awyr fel breichiau melin wynt. Ar wahân i'r gwaith aur 'doedd yno ddim byd ond anialwch o'u cwmpas nhw ymhob man yn ystod misoedd yr haf, er mai yn y gaeaf y byddan nhw yn cael eu haf. 'Roedd hi'n rhy boeth i'r dynion gwynion weithio yn y pnawniau am nad oeddan nhw wedi arfar sefyll ar 'u pennau, ac 'roedd o'n cofio'n iawn, fel 'roedd o wedi mynd i gysgu o dan goeden felly ar ôl cinio, ac am fod llwch yr aur yn ei ffroenau ac yn ei lygaid o — a pheth garw am eich gwneud chi'n swrth ydi aur — mi gysgodd mor sownd nes nad oedd o wedi clywed na theimlo dim, ond pan ddeffrodd o at amser te mi ffendiodd fod y brain — oedd mor llwglyd — wedi bod yn bwyta'r lledr o wadnau 'i 'sgidiau o at y gwaltars a gadael y clemiau a'r pedolau a'r heolion yn ddau docyn ar lawr wrth 'i sodlau o. Ei gred o oedd mai'r hoelion yng ngwadnau 'i 'sgidiau yn sgleinio yn yr haul oedd wedi tynnu'r brain atyn nhw i ddechrau.

Faint bynnag o raffu oedd yn y straeon hynny 'roeddan nhw'n fwy diddorol na straeon pen bawd Ifan Crydd. "Deyn, petha wedi newid hogia," fyddai 'i ragymadrodd o y rhan amlaf, ac mi roddai'r morthwyl ar y fainc neu mi ddaliai esgid i bâr pwyth ar ei lin tra bydda fo'n deud, "Ddeuda i stori wrthoch chi hogia i ddangos. Saer coed oedd nhad, a 'dw i'n cofio'n iawn fel y byddan ni'n mynd allan i weithio ar ffermydd. Cychwyn o'r gweithdy rwan, fora braf yn nechra ha', hynny, cofiwch, cyn i mi dorri nghoes a gorfod newid prentisiaeth, — cychwyn i lawr y llwybyr drwy gae Cefn Fynwant a chroesi caeau'r Hafod a'r gwlith ar y dafadd gwawn ar y cloddia yn sgleinio wrth i ni basio. Wedyn cerddad ar hyd y lôn bost nes y byddan ni wrth ben lôn y Morfa, a wedyn cerddad i fyny nes byddan ni wrth giât yr iard, ag i mewn drwy'r giât i'r iard, 'dw i'n cofio'n iawn. A mi fydda tad Robat — taid yr hogyn 'ma sy 'no rwan — yn sefyll ar yr iard yn disgwyl wrthon ni. Cofio fel tasa hi ddoe.'' Ac fel y dywedodd un o'r hogiau hynny ar eu ffordd adref i nôl swper — ''Duw, 'doedd i stori o ddim gwerth i' chofio.''

Oedd, mi oedd rhaffau'r Hen Borthmon yn ddifyrrach na straeon pen bawd Ifan Crydd, ac mi fyddai wedi bod yn well gan bawb ohonon ni fod wedi cael mynd i Affricia i hel llwch yr aur ar ein hwynebau na mynd i gae Gefn Fynwent i hel gwlith ar ein 'sgidiau. Rhyw ddweud yr oedd pobol mai tynnu yn o drwm ar ei ddychymyg y byddai'r hen Borthmon. Ella wir, ond dyna fo — mae'r beirniaid diweddar yn dweud bod pechod yn beth mwy diddorol o lawer iawn...

I Adfer Syberwyd

Fe ddylid yn y lle cyntaf, ddiolch i'r Gorfforaeth garedig am fod yn ddigon mawrfrydig i ganiatáu amser i wneud yr apêl yma am i ni fel Cymry Cymraeg — bendith ar yr ymadrodd — fod yn fwy ymwybodol o'n potensial a'n posibiliadau fel pobol. Raid i neb edrych drwy na thros ei sbectol erbyn hyn i weld fod diogi a diddymdra wedi dod yn rhan o batrwm cymdeithas wâr, a bod angen ehangu'r cyfleusterau i borthi ei llonyddwch a'i phensyndod. Ar air a chydwybod, a haeriadau nifer o weinidogion yr efengyl gymdeithasol, gymdeithasgar hon, mae'r hen syniadau am werthoedd ysbrydol wedi cael y benwan ac wedi mynd yn fforffad ers blynyddoedd, ac yn ôl pob golwg mae'r syrcas o fateroliaeth ddaeth yn eu lle yn prysur fynd â'i phen iddi. Ystyrier y meysydd chwaraeon, fel enghraifft. Dyna ffwtbol...

Aeth dyddiau edmygu Dixie Dean a Duncan a'u tebyg heibio, a darfu am y diddordeb yn y chwarae ar y cae wrth i'r diddordeb mewn pledu tuniau a photeli gwag ar y terasau gynyddu. Aeth ennill yn bensyfrdandod a cholli yn rhwystredigaeth a'r chwarae ei hun yn ddim mwy nag ymestyniad gwallgo o orffwylledd cudd y gwylwyr ar y lein.

Wedyn dyna chwarae tenis. Mewn gêm a fyddai mor fonheddig, mi welwyd y curo racet ar y ddaear, y gwasgu pen mewn afrywioldeb, gwylltio a phwdu a thempar ddrwg. A pha ddiben sôn am y meysydd rygbi, a'r ddwy genfaint, wrth ymdrybaeddu yn y mwd a'r baw, yn ffug gymryd arnynt eu bod yn dilyn rhediad y bêl, tra eu bod mewn gwirionedd yn gwneud dim mwy na chystwyo penelin wrth asen a chlun wrth forddwyd a hyd yn oed sawdl sbeiciog wrth foch os oes modd gwneud hynny heb dorri'r unfed gorchymyn ar ddeg a gadael i'r 'uffari' weld.

Na, mae dyddiau y rhain i gyd wedi eu rhifo. Mewn byd neis fel ein byd ni, lle mae pawb sydd â'r gallu ganddo yn petruso cyn pwyso ei fys ar y botwm fydd yn dechrau'r dinistr olaf, a lle mae mwy a mwy o bobol am fwy a mwy o amser heb fod yn gaeth i oriau penodedig yr hyn a elwid, yn raslon, yn waith, mae'n rhaid cael chwaraeon mwy cydnaws â natur y gymdeithas lonydd gegrwth hon.

Wrth fynd yn ôl gellir meddwl am lawer o chwaraeon y byddai'n werth ystyried eu hadfer. Dyna chwarae cardiau. Na, nid cardiau'r diafol — chwist a brij a solo a gemau dyrys felly — mo'r chwarae ond chwarae efo cardiau sigarets. Dim ond eu lluchio nhw yn erbyn wal nes y byddan nhw'n disgyn ar eu fflat ar lawr, a'r cyntaf i fedru lluchio cerdyn i guddio darn o gerdyn arall fyddai'n hawlio'r cyfan. Mi gwblhawyd aml i set o Grêt Ffwtbolars a Fflowars of ddy Ffîld a 'Diwi Nos?' yn y gemau hynny. Ond mi ddarfu am y chwarae hwnnw pan aeth y sigarets eu hunain o dan gwmwl — ac nid cwmwl yn pasio oedd o chwaith.

Ond y mae modd prynu marblis o hyd — yn siopau y Rhyl a Llandudno beth bynnag, a siawns nad ydi'r Sowth bell yna ddim wedi mynd mor anwaraidd nad oes modd cael rhai ym Mhorth-cawl ac yn y Barri. Mae yna doeau gwydyr mawr lliwgar i'w cael o hyd. A marblis gwydyr. Ac mae'n siŵr i chi bod yna farblis clai a marblis cerrig i'w cael yn rhywle o hyd hefyd. A dyna'r cyfan sydd eisiau i chi fod mewn busnes — to a rhyw ddwsin fwy neu lai o farblis. Raid i chi ddim cael aceri o dir a thyllau bob hyn a hyn ynddo fo i'ch gorfodi chi i gerdded milltiroedd nes y byddwch chi'n dod yn ôl wedi blino ac yn sychedig. A bydd rhaid i chi dorri'ch syched er mwyn gwneud arian er mwyn cael twll arall er mwyn i chi ddod yn ôl yn fwy sychedig. Na, dim ond rhyw chwellath o lwybyr gwastad ac mi wnaiff y tro yn iawn, a rhyw deirllath neu bedair o le clir yn un pen o gwmpas y cylch — y 'ring.' Raid i lain chwarae marblis ddim gorwedd ar ganol aceri o gae fyddai'n ddigon i borthi buches ffarmwr bach am wythnosau pe câi'r borfa lonydd i dyfu.

Tynnu'r cylch — y 'ring' — ar wyneb y cledwch yn y pen llydan, a gosod, neu 'roi i lawr' faint bynnag o farblis y cytunir arno i fod yn 'ben'. Pedair o 'ben' gan bedwar chwaraewr yn gwneud un ar bymtheg o farblis yn y cylch. Y pedwar wedyn yn eu holau i ben arall y llain i sefyll y tu ôl i'r llinell fydd wedi ei marcio yno, a gofalu na fydd cymaint â thew asgell gwybedyn o'u troed dros y lein wrth iddyn nhw daflu'r to i rowlio i gyfeiriad y 'ring'. Y nesaf i'r cylch fydd y cyntaf i anelu am y marblis, a'i eiddo fo neu hi fydd pob marblen gaiff ei tharo allan o'r ring efo'r to. O sôn am 'y hi', peth merchetaidd fyddai lluchio'r to yn y chwarae ar ôl ei luchio o bell y tro cyntaf. 'Fflibio' ydyw'r ffordd i daro'r marblis allan o'r 'ring', a 'fflibio' yn golygu gosod y to rhwng migwrn y bawd a chledr y bys cyntaf, a thrwy bwysedd beri iddo saethu allan yn sydyn unionsyth fel ergyd. Rhaid gofalu hefyd fod cefn y llaw yn gorwedd ar y ddaear ar yr union fan lle'r oedd y to. Mae'n debyg nad oes yna ddim llawer o chwaraewyr mawr ar ôl yn y wlad erbyn hyn — chwaraewyr fedrai roi ochor neu 'dop' ar y to nes y byddai yn taro marblen allan ac yn sefyll ei hun yn y 'ring' yn ei le, yn troi yn ei unfan, a dal i fod o fewn cyrraedd i weddill y marblis. Neu y rhai fedrai daro to eu gwrthwynebwyr wrth basio fel petai a pheri iddo redeg ymhell o'r 'ring' a gofalu yr un pryd fod ei do ei hun yn cael marblen neu ddwy allan ac yn ennill safle fanteisiol ar gyfer y 'fflibiad' nesaf.

Mae rheolau cyffredinol chwarae marblis yn ddigon gwybyddus. Hwyrach y bydd angen adolygu rhai o'r mân ddeddfau yn ôl arferion gwahanol ardaloedd a gwledydd, ond o ran trefn y gêm ei hun gellid sefydlu'r gynghrair ryng-genedlaethol yfory nesaf. A phe gwneid hynny, mi ddoi'r syberwyd yn ei ôl. Ond yn bwysicach na hynny gallai holl athroniaeth bywyd a chenedlaetholdeb newid oherwydd y mae chwarae marblis yn sylfaenol wahanol i'r rhelyw o chwaraeon eraill. Enwch nhw — golff, ffwtbol, rygbi, pêl-rwyd, tenis, liwdo, tidliwincs — cael pêl neu fotwm i mewn i rywbeth sy'n bwysig. Ond cael marblis allan ydi'r gamp. Gwagio a chwalu a dinistrio a gadael y cylch ar ôl heb ddim byd y tu mewn iddo. Ac yn bwysicach na dim, gwneud hynny gyda phwyll ac urddas a graslonrwydd. Gwagio hyd ddiddymdra llwyr. Ac wedyn? O, mi gawn ni weld. Neu mi gaiff rhywun weld. Os y bydd yna rywun.

Nadolig Un

'Roedd yna hen gymeriad yn Llŷn â'i holl fyd wedi ei ganolbwyntio ar ddau beth — y farchnad ym Mhwllheli ar ddydd Mercher a'r tair oedfa yn y capel ddydd Sul. Ac mi fyddai'n rhaid dechrau paratoi at y Sul nos Sadwrn. Torri trenglan neu ddwy o wair yn barod at y bore, rhoi dŵr i'r ieir a gwellt dan yr hwch er mwyn cael mynd i'r tŷ yn gynnar i dorri'i farf a newid ei ddillad isaf a chael cyfle i chwilio am bennod tra byddai'n dal ei draed mewn dŵr a halen wrth y tân yn y gegin. O ganlyniad i batrwm ei fuchedd, ni fyddai byth yn defnyddio'r enwau priod arferol am ddyddiau'r wythnos. 'D'wrnod ar ôl dydd Sul' oedd dydd Llun; 'd'wrnod cyn d'wrnod mynd i'r dre' oedd dydd Mawrth; 'd'wrnod mynd i'r dre' oedd dydd Mercher; 'd'wrnod ar ôl d'wrnod bod yn dre' oedd dydd Iau, a'r 'd'wrnod o flaen dydd Sadwrn' oedd dydd Gwener. Mae hi yr un fath yn yr Hen Destament — nid wrth eu rhifau y mae adnabod blynyddoedd ond wrth eu cynnwys — 'yn y flwyddyn y bu farw y Brenin Usiah'.

Rhywbeth yn debyg ydi'n gorffennol ni ein hunain hefyd. A chaniatáu ein bod ni wedi dod, fel y tybiai Wordsworth, oddi wrth Dduw ein cartref a 'dilyniant o gymylau'r gogoniant' o'n cwmpas, ychydig iawn a wyddom ni o brofiad am y blynyddoedd na'r digwyddiadau cyn ein bod ni yn bump oed, a thrwy resymeg yn hytrach na thrwy brofiad y mae'n rhaid i ni dderbyn y ffaith ein bod ni wedi cael ein geni. 'Rydan ni'n dal ar yr wyneb hyd yn hyn, ac yn ymateb, mwy neu lai, â'n pum synnwyr i'r byd o'n cwmpas, ac felly mae'n rhaid i ni gredu i ninnau fod wedi mynd drwy'r un broses â'r ŵyn bach a'r lloiau a'r ebolion y mae'r sgrîn deledu wedi bod mor hoff o'u dangos yn dod i'r byd yn un llanast o waed a brych a llinyn bogail, er mwyn gwneud yn siŵr fod yr ymdrech i ddinistrio pob rhithyn o ramant a syberwyd yn llwyddo. O ganlyniad, mae'r Nadolig cyntaf i ni ei dreulio yr un mor niwlog yng ngwyll y cychwyn â Nadolig Bethlehem. A'r naill a'r llall yn ddirgelwch i'w gredu yn hytrach na phrofiad i'w ddirnad.

Ac am y Nadolig cyntaf hwnnw, yn ychydig ddyddiau oed, neu yn tynnu at ei flwydd, ac yn gorwedd ar wastad ei gefn yn ei grud, byd cyfyng iawn oedd byd babi. Ychydig iawn oedd i'w weld trwy rwyllwaith crud gwiail a'i do crwn a'i ymyl wedi'i phlethu'n galed. O ran medru edrych allan, mae cranc yn fwy lwcus a dweud y gwir, achos mae plethiad ei gawell yn llawer llacach na phlethiad crud, ac mi ellid gweld trwyddo i waelodion gwymonllyd mwrllwch y môr. Ond wynebu diwedd ei hoedl y mae'r cranc yn ei gawell, a'r babi yn ei grud yn wynebu ei dechrau. Mae yna wahaniaeth mawr yn y driniaeth a gaiff y ddau. Ei symud yn ddiseremoni a'i fodiau wedi'u rhwymo a'i luchio 'a'r gwymon yn gymysg' i'r cawell cadw gaiff y cranc i gael ei gadw yn hanner byw nes cyrraedd llechen las cownter siop bysgod. Ond mae gan y babi, gobeithio, ac o gyrraedd oed yr addewid, gryn ddeg a thrigain Nadolig i'w treulio yn y byd cyn y bydd o'n sefydlu cyswllt â charreg las. A phan wnaiff o, y garreg fydd yn gorwedd arno fo ac nid y fo ar y garreg.

Ond am ei Nadolig cyntaf, flynyddoedd yn ôl, yn ail ddegawd y ganrif hon, cwsg a chlwt a photel oedd pinaclau pwysig ei fodolaeth. A chlwt oedd y clwt, nid Harrington Squares y blynyddoedd canol, ac yn sicr nid 'disposables' drudion y blynyddoedd gwastrafflyd hyn. Pan fyddai cynfas gwely wedi mynd yn denau yn ei chanol, gellid ei throi a rhoi gwnïad ynddi i estyn ei hoes. Ond pan fyddai'r estyniad yn dod i ben yr oedd hi'n ddeunydd amryw o glytiau babi. Y mamau call yn eu hemio'n ofalus, a'r mamau ffôl yn eu gadael yn raflings i gyd. Hwyrach y byddai seiciatryddion yn awgrymu y byddai yna fwy o raflings yng nghymeriadau'r babis-clytiau-taclus yn nes ymlaen. Rhwymyn am ei ganol yn dro ar ôl tro fel coes bat criced, crys, bodi staes a barwm, a'i lapio'n dynn a gofalu bod ei ddwylo o'r golwg a bod darn o'r blanced dros ei ben nes ei fod o yn y diwedd fel un o'r bodau hynny y daeth yr ysbeilwyr beddau o hyd iddynt ym mhyramidiau'r Aifft.

'Doedd yna fawr o ginio 'Dolig iddo fo. Llaeth yr heffar las wedi ei gadw'n arbennig ar ei gyfer oedd derw ffon ei gynhaliaeth o, a hwnnw'n llifo yn ôl y galw o botel siâp cwch a theth i sugno yn un pen iddi a theth i ollwng gwynt i mewn yn y pen arall. Profedigaeth gyffredin oedd i'r botel fynd o gyrraedd rhwng y gwely ac ochr y crud, a byddai'n rhaid i rywun oedd yn byw yn y byd mawr y tu allan — byd oedd yn cyrraedd draw heibio i'r setl a'r bwrdd at y gadair freichiau — ddod i adfer y botel a gosod y deth yn ddiogel yn ôl yn y gwagle diddannedd rhwng ei ên a'i drwyn.

Ychydig a feddyliai'r babi hwnnw yn nyddiau'r Nadolig ym mil naw un chwech fod y byd yn cyrraedd ymhellach na ffiniau'r mat racs o flaen y tân yn y gegin gefn. Wrth edrych drwy'r gwiail ar lewyrch gwynias y tân yn y twll lludw o dan y popty, lle'r oedd y saim yn llifo o frest un o wyddau Llŷn i'r tun rhostio, wyddai'r babi ddim byd am y tân oedd yn llosgi Ewrop, a'r ffrwydradau yn ffosydd Ffrainc lle'r oedd yr Angau yn medi twf anaeddfed cenhedlaeth yn ddeunaw ac yn ugain oed. A'r gwleidyddion yn dal eu gwydrau gwin yn eu dwylo llofruddiog yn y gwleddoedd yn Llundain a Berlin i ddathlu geni Tywysog

Tangnefedd. Wyddai'r babi ddim byd am weinidogion yr Efengyl oedd yn mynd i'r pulpudau yn eu caci i annog y bechgyn i gerdded i'w diddychwel hynt. Chlywodd o ddim gair am y llysoedd apêl lle'r oedd y twrneiod ystrywgar yn gwneud i gynghorwyr bochgoch, boldew, chwerthin wrth wneud sbort am ben gwas ffarm oedd yn gofyn am gael ei esgusodi am fod ei blant yn wael a'i wraig yn marw. Welodd y babi, o ddiogelwch ei grud ar y mat racs yn y gegin gefn, mo'r hogyn teligram yn dod i fyny o'r Groeslon a phob calon ymhob tŷ yn curo wrth iddo basio'r naill ddrws ar ôl y llall, nes arafu yn y diwedd, petruso, a mynd i dŷ'r Gweinidog, wedi methu cario'r genadwri oedd yn dweud wrth y fam ei bod yn weddw a bod ei phlentyn bach yn amddifad. A hynny pan oedd y brigau celyn coch ar y pictiwrs ar y pared ac afalau ac orennau yn yr ornaments ar y silff ben tân am ei bod hi'n Nadolig Iesu Grist. Byd rhyfedd ydi'r byd sydd tu allan i blethiad gwiail crud.

Malwen

Mi fuo yna fwy o falwod ar dramp yn y gerddi yn nechrau haf y llynedd nag oedd wedi bod ers blynyddoedd lawer. 'Roeddan nhw'n llygadu'r letys o bell, yn cuddio mewn rhesi pys, ac mi fu eu 'huntroed oediog' yn llechu yn nirgel leoedd bwaog y cabaits a'r coli fflywars tra oeddan nhw'n gwledda ar feddalwch y dail a dinistrio rhagolygon lobscows mis Tachwedd. Mae'n siŵr y byddai'r garddwyr proffesiynol a'r naturiaethwyr yn medru egluro'r cynnydd, yn ddoeth, yn wyddonol, ac yn ddibwrpas, achos tydi malwod ddim yn diflannu wrth i chi eu hegluro nhw.

Wel, amser hau hadau mân a hau blodau yn y Gwanwyn oedd hi — reit gynnar er mwyn cael blaen ar y gerddi planhigion parod, ac er mwyn cyfiawnhau bod wedi cael tŷ gwydr — yr amser pan fydd blodau'r llynedd mewn atgof yn dechrau mynd yn grand, a phan fydd blodau'r haf nesaf, mewn dychymyg, yn grandiach. Ar ôl y syrthio i demtasiwn y lluniau perffaith ar y pacedi, a dod â'r detholiad amryliw persawrus adref o'r dref i'w edmygu ar y bwrdd, mae gofyn bod yn ofalus eu bod yn cael chwarae teg ar y cychwyn. Wnaiff rhyw rawiad o bridd o ymyl llwybyr mo'r tro o gwbwl. Na, y pridd gronynnog glanaf yn llawn o faeth yr haul a'r awyr. Y mawn pereiddiaf, a'r cemegau cytbwys fydd yn sicrhau gwreiddiau ymofyngar a thwf hyderus. Mewn daear felly fydd yna ddim peryg gweld y goesgoch neu wlydd dom na'r un 'hen estron gwyllt' arall yn dirmygu na bygwth yr egin.

Mi wnâi bocsus pren y tro yn iawn — mi wnaethon am flynyddoedd i well garddwyr. Ond yr oedd y bocsus plastig at y pwrpas wedi bod yn ormod o demtasiwn hefyd — wedi eu diheintio a'u puro fel nad oedd na feirws na ffwng na'r pryf-nad-yw-yn-marw ar eu cyfyl. Ac yr oedd y gwaith o'u llenwi wedi rhoi ias glinigol — rhywbeth fel a gafodd duwiau bore'r byd mae'n debyg wrth wasgu'r diddymdra, yr afluniaidd gwag, rhwng eu dwylo a'i wneud yn beli crwn i'w lluchio ar siawns i'r gofod i fod yn fydoedd a heuliau a sêr. Ac o'r diwedd dyna arwynebedd gwastad y ddwy fodfedd o ddaear wedi ei wneud yn barod i roi'r had i lawr — hadau blodau trwyn llo yn fân fel pupur; hadau bidoglys yn fannach wedyn; aster; stoc; pys pêr, a'r gweddill, gan gynnwys gold mair â'i hadau fel y dartiau i'w rhoi mewn gwn ar stondin saethu Ffair Ŵyl Ifan Ha'. Profedigaeth barod i faglu'r blêr a'r dibrofiad ydyw cymysgu neu anghofio labelu, a mynd i archwilio'r tir drannoeth a sylweddoli — 'Y nefi, 'does gin i ddim syniad be 'di be'.' A gwaeth byth yn ddiweddarach fyddai gweld copaon plygedig swît pîs yn gwthio'u hunain yn bowld allan yng nghysgod lebal pren yn dweud 'Lobelia' a ddylai ymddangos fel cryndod gwyrdd ar wyneb y pridd. Felly, er mwyn bod yn hollol sicr ac er mwyn diogelu lliw a llun y dyfodol, dwyn — neu gymryd benthyg — labeli potiau jam o'r drôr yn y tŷ. Rhai hirsgwar taclus yn glynu wrth ddim ond eu tynnu oddi ar eu papur eu hunain a'u gosod ar ochrau'r bocsus. Trefniant i ychwanegu at drefnusrwydd y Drefn.

A'n helpo ni! Ddau neu dri bore'n ddiweddarach, sylwi bod rhywbeth wedi digwydd i lebal yr ASTER, fel pe bai wedi cael ei wlychu a'i rwbio nes bod y cwbwl ond yr 'A' wedi diflannu. Fel pe byddai'r ffordd o ddysgu darllen trwy ddweud A am afal, a B am buwch, wedi ei throi, mewn rhyw fyd gwallgo, y tu ôl ymlaen nes bod eisiau dweud 'Aster am A'. Wel, ysgrifennu'r -STER yn ôl a gwneud yr un peth ag mae crefydd yn ei wneud efo'r dirgelwch — ei anghofio.

Ond weithiodd hi ddim. Drannoeth a thradwy 'roedd popeth yn iawn, ond y bore wedyn 'roedd tri lebal wedi ei chael hi, a bellach 'roedd yn rhaid ymchwilio, a chydnabod fod yna broblem, a derbyn bod yn rhaid rhoi cyhoeddusrwydd iddi doed a ddelo. . .

"Gwrachod lludw", meddai'r Drws Nesa a throi llgada bolwyn mawr fel Breschnev yn sôn am y Mericia, "rwbath ag ogla pren arno fo a mi ân amdano fo!" Wel, 'doedd yna ddim ogla pren ar bapur a phlastig, siŵr iawn. Ond dydi'r Drws Nesa ddim yn ddyn i chi amau ei air o. "Pryfed cop," meddai un o'r modrybedd-yng-nghyfraith acw, "'fytan bob dim — ma' nhw fel bytheid yr adag yma o'r flwyddyn." Ond 'doedd yna ddim pryfed cop — corynnod — yno chwaith! Fesul tipyn yr oedd pawb yn mynd i amau pawb — pryfed genwair; tylwyth teg; nadroedd cantroed; llyffantod; ymbelydredd niwcliar; cath drws nesaf. Ond fedrai neb brofi dim a'r unig gwrs ar ôl oedd ymchwiliad trwyadl ar y safle fel byddan nhw'n dweud yn y Cynghorau.

Symud y bocsus y naill ar ôl y llall â'u hedrych yn ofalus, ond heb weld dim. Nes codi'r chweched bocs. A dyna lle'r oedd hi. Ia, 'rydach chi'n iawn — un o'r malwod lleiaf a welsoch chi erioed, yn grwn, yn sgleinio a'i holl anghenion corfforol wedi'u diwallu a'i harchwaeth wedi'i bodloni. Mae'n ddigon hawdd dweud nad oedd hi ddim i fod yno. 'Dydi dynion gwynion ddim i fod yn Affrica chwaith ond yno maen nhw.

P'run bynnag, dyna'r dirgelwch wedi'i ddatrys. Ond 'rhoswch chi am funud. Faint ohonyn nhw oedd wedi bod yn gwledda ar y papur? Symud bocs eto? Symud bocs arall a gweld dwy o rai bach eraill — a'r rheini yn lafoeriog farw. Ac wrth oedi uwch ben y cyrff — y fflach o ofn yn gwannu'r ymwybod. Beth oedd yn dal y lebal ar y bocsus? Glud! Oedd y rhain wedi dod i'w arogli? Oedd yna drai ar foesoldeb malwod hefyd? Oedd cadwynau'r teulu yn datod ym myd y Ceopea Nemoralis fel ym myd Homo Sapiens? Oedd gwyll gwareiddiad yn goddiweddyd yr holl hil seimlyd, a bygwth difodiant yn dinistrio'u gwarineb? A gyrru malwod bach ifainc i'r difancoll yn eu blynyddoedd gleision? Neu hwyrach nad oedd yr holl ddigwyddiad yn ddim ond ffolineb diniwed ar eu rhan, yn gwireddu honiad yr hen ddihareb Gymraeg mai 'fel bo dyn bo'i falwen'. 'Gawn weld sut y bydd pethau eleni os byddwn ni byw ac iach.

Poitri Defi Jones

Fydd Defi Jones ddim yn galw heibio'n amal, a phan ddaw o ar ei hald fydd ganddo fo ddim neges arbennig fel rheol. Fel clychau'r gog, 'dyfod ac yna ffarwelio'. Ond gyda'r gwahaniaeth, mae'n debyg, na fyddai neb yn disgwyl i Defi 'barhau', achos pethau i fynd a dod ydi blodau'r gog — a ninnau. Dychymyg bardd oedd yr 'Och na pharhaent' am y blodau. Ac yn rhyfedd iawn, barddoniaeth oedd ar feddwl Defi y noson o'r blaen pan ddaeth o heibio. "Yli," medda fo, "mi fyddi di yn mynd ar y weiarles yn byddi?"

"Wel. . ." a rhyw ofn fod y gorffennol yn dechrau erlid.

"Ia, wel rydw i wedi dy glywad di. Fuost ti efo Hywal Gwynfryn."

"O do," a dechrau teimlo'n ddiogel ymysg y miloedd.

"A'r peth nos Sul hwnnw?"

"Rhwng Gŵyl a Gwaith."

"Ia, ella. Fydd ar ôl swpar rhwng naw a deg."

"O ia, Defi Jones, 'na chi," yn betrus hyderus, "be. . .?"

"Darllen hwn," a chyrraedd darn o bapur.

"Wedi bod yn sgwennu 'rydach chi?"

"Poitri," meddai Defi a hanner cau ei ddau lygad i gyfeiriad y tân fel dyn yn cymharu mesurau yn ei ben. "Dydw i ddim yn fardd. Mi odd John os y cofi di, y creadur, pan oedd o."

"Wel oedd siŵr iawn." 'Roedd amryw o gerddi ei frawd ymadawedig ar lafar yn y pen acw. Dyn drawai bwt o bennill ar achlysur yn ôl y galw, ond heb fod wedi gogwyddo fawr erioed at y canu caeth, er nad oedd dim gwir yn y stori mai y fo oedd yn egluro'r Gynghanedd Groes trwy ddweud mai lein oedd y Groes oedd yn gweithio yr un fath y ddwy ffordd. A'r enghraifft — lein fel 'Yn y môr mae Ynys Enlli' un ffordd ac 'Ynys Enlli sy'n y môr' y ffordd arall — yn groes.

"Darllen di hwn'na i ddechra," meddai Defi.

Agor y papur o'i blygiad poced cesail a gweld,

Hwiangerdd

Magu ŵyn bach i fod yn lam
Ar blatiau,
Magu lloiau i fod yn fîl
Ar fyrddau,
Magu moch i fod yn ham
Ar frechdanau.
A magu plant i fod yn gelanedd cochion
Mewn ffrwydradau.

"Wel?" meddai Defi, "be wyt ti'n ddeud?" Canmol a chyfeirio at y ffaith ei bod yn amlwg iawn fod yna weledigaeth mewn cerdd o'r fath. Wedyn awgrymu y dylid ei chyhoeddi ar bob cyfrif.

"I brintio fo?" holodd Defi.

Deud 'Ia' ar bob cyfri.

"Chymeran nhw mo ngwaith i i' brintio yli. Os nad wyt ti yn hen fardd nad oes neb yn 'i ddallt o, ne' yn fardd newydd nad oes yna ddim gwaith dallt arno fo, waeth i ti heb â thrio cael printio dy betha."

Awgrymu y byddai'r Papur Bro yn falch o'r gerdd.

"Wedi 'i thrio hi i'r fan honno hefyd," meddai, "ond ddoth hi ddim allan."

Cydymdeimlo, a meddwl tybed a oedd cyhoeddi mor bwysig i fardd wedi'r cyfan. Onid y creu oedd y peth mawr, a bod y pwrpas wedi ei gyflawni unwaith yr oedd y geiriau wedi eu rhoi i lawr ar bapur a'r greadigaeth wedi dod i fodolaeth.

"Ia a naci," meddai Defi. "Dyna i ti Gwynn Jones a'r hen Gynan a Wilias Parri a rheina — wel printio 'neuthon nhw ynte? Ma nhw'n deud ma' un swil oedd Wilias Parri ond mi nath ddau lyfr yn do?"

Ffaith ydyw ffaith wrth gwrs a 'doedd dim diben dadlau na gwadu.

"A wyddost ti am y Barddas 'ma?" aeth Defi ymlaen. Cydnabod cydnabyddiaeth achlysurol. "Wel ia, mi brintian nhw dy betha di wyt ti'n gweld os oes gin ti goron ar dy ben ne gadar dan y pen arall." Awgrymu'n gynnil fod gwaith bodau llai na Phrifeirdd yn gweld golau dydd yn y dywededig.

"Oes", meddai Defi, "ond ma nhw mewn tîm ac yn gneud petha yr un fath â beirdd."

Fu dim rhaid osgoi'r demtasiwn i ddilyn y trywydd beirniadol hwn oherywdd fe gyrhaeddodd bapur plygedig arall.

"Dyna i ti un arall yli. Amsar Sulgwyn gnes i hwn'na." Meddwl tybed pam yr 'hwn'na' gwrywaidd. Benywaidd ddylai 'cerdd' neu 'gân' neu 'farddoniaeth' fod. 'Gwaith' hwyrach. Neu 'darn'. Ond 'doedd dim amser i synfyfyrio.

"Darllan o."

Agor y ddalen, a chael

Pentecost

Gobeithio'r nefoedd na ddaw'r hen dafodau tân rheini
Ddim i Gaersalem, Seion, Soar a Bethlehem Rowland Hughes
I boitsio'r paent
A ninna newydd gael pres o'r Gronfa Fenthyg —
Na'r hen sglyfath hen wynt hwnnw.
Mae 'na sglaits ar 'u congla'n barod
A Phantyfedwen yn sych.

A mae gynnon ni Gymraeg William Morgan
Tenciw mawr,
A'r Testament Newydd newydd.

Achos fedrwch chi ddim addoli Duw
Mewn bratiaith
Ynghanol fforinars o Loegar
A'r paent wedi plistro
A thwll yn y to.

Sylweddoli fod llygaid Defi wedi dilyn y symudiad i waelod y dudalen a'i fod yn disgwyl ymateb.

"Wel?"

Cynnig sylw gwerthfawrogol petrus o'i feistrolaeth ar y wers rydd, a mentro awgrymu dylanwad beirdd diweddar.

"Fel Gwyn Thomas a rheini wyt ti'n feddwl? Ma nhw'n iawn. Ond nid gneud poitri ma' nhw." Dweud hwyrach ei fod o, Defi Jones yn teimlo'i gyfrifoldeb cymdeithasol?

"Na, mi fydda i yn gneud petha i 'mrid fy hun hefyd weithia. Fel telynegion," a thyrchu i'r boced cesail unwaith yn rhagor. "Yli, dos dros hwn'na"

Cyfnitherod

Ma' nhw wrth y cloddia yn y mynwentydd erbyn hyn,
Jane Tŷ Newydd, Ann y Foty a Magi'r Felin,
Yn Chwilog a Llanystumdwy a'r Dinas.
'Does yna ddim chwerthin na chrio iddyn nhw,
Ân' nhw ddim i ffair na chapel.
Llai a llai sy'n eu cofio nhw,
A gyda hyn fydd 'na fawr neb
Nes daw plant i blant y plant
O'r Mericia ac Ostrelia a London
I hel 'u hachau a chwilio am eu gwreiddia
Os byddan nhw byw ac iach.

Mentro canmol mwy erbyn hyn wrth sylweddoli, mae'n debyg, hwyrach mai ffordd Defi o gyflwyno'i waith i'r cyhoedd oedd hyn — fesul un ac un. Bodloni'r ysfa ryfedd honno i ymddangos ar ddu a gwyn, ac os felly, wel bwrw iddi hi i ddangos edmygedd a brwdfrydedd. Ymlacio yng ngwres y bodlonrwydd a diddori mwy a mwy. Oedd yna lawer o rai tebyg?

"O oes mae gen i lawer iawn ohonyn nhw wel di. Ac mi 'rwyt ti yn 'u lecio nhw felly?"

Ateb cadarnhaol heb betruso, a dechrau'n gweld ni ein dau yn cael aml i seiat arall a theimlo'n falch medru bod o help i Defi i ehangu'i gynulleidfa. Chwarae teg iddo fo wir. Enghraifft arall o weddillion y werin ddiwylliedig. Hen ŷd y wlad a'r filltir sgwâr a phethau felly. Mi fydd y sgwrs yn mordwyo mynd yn ddifyr bellach a gyda'r nos y gaeaf yn hir braf. Nes i Defi ddweud,

"Wel dyna ni 'ta felly?" nid yn osodiad yn gymaint ond yn gwestiwn. Ond fu dim rhaid gofyn y cwestiwn oedd yn oblygedig sef 'dyna ni 'ta be?' o achos fe aeth ymlaen,

"Pryd yr wyt ti'n meddwl y byddi di yn 'u gneud nhw felly?"

"Gneud?"

"I deud nhw ar y weiarles?"

Fe all y meddwl dynol wedi'i gynhyrfu droi i chwilio am esgusodion mor chwimwth â sglefiwr ar lethrau eira'r Alpau. O na, yn bendant, y fo'i hun fyddai orau.

"Ia, ia, wn i y baswn i yn 'u deud nhw'n well, ond wrth nag ydyn nhw'n gwybod amdana i mi gei di neud yli. Siarad di efo nhw a deud y gnei di gynta byth bydd posib. Hwyrach nad oes 'na ddim gormod o amsar w'yst ti."

Ymdrechu ffordd arall ac amau parodrwydd y Gorfforaeth i ddarlledu barddoniaeth.

"Nid barddoniaeth ydi o ngwas i. Deud ti wrthyn nhw

ma poitri ydi o a wedyn mi fydd yn iawn, O, ag yli — os bydd 'na bres, mi rhannwn ni nhw. 'Dw i'n dallt bod rhai yn cael arian."

Cododd ar draws yr "Ond ylwch Defi Jones hwyrach y basa'n well i ni..." ac estyn papur arall.

"Os y byddi di yn mynd cyn y Dolig, mi gei ddeud hwn hefyd. Darllan o. Un i **Faban** Bethlehem ydi o."

Baban Bethlehem

Mi fasa'n dipyn o ddormach ar y Forwyn Fair
Tae hi'n cael ei babi heddiw mewn gwely gwair;
Mi fydda Nawdd Cymdeithasol o'u coeau'n racs
Am fynd i orfadd i'r beudy fel un o'r blacs.
Pam na threfnodd Joseff a hitha mewn pryd
I gael lle mewn ysbyty i ddwad â fo i'r byd?
Châi' o ddim anrhegion o aur nac arian na phres
Ond fe gâi ofal gora'r Wladwriaeth Les
A'i gadw yn fabi am weddill ei oes
Heb Herod na Chaiaphas na Pheilat na'r Groes,
Ac fe gaem ninnau lonydd i neud Dolig bach neis
Fel arfer efo'r sieri a'r ŵydd a'r mins peis.

Aeth Defi allan i'r tywyllwch a daeth awel fach oer i mewn wrth iddo agor y drws. Ac mi fydd yn rhaid i minnau ofyn i'r Cynhyrchydd, ac i I.B. ryw dro a gaf ddweud poitri Defi ar y weiarles.

Sylwadau ar Wib

Pe bai eliffant yn medru neidio owns am owns o'i bwysau yn ôl yr herwydd mor bell ag y medr chwannen dyweder, mi fyddai'n medru rhoi sbonc o gyfandir i gyfandir neu stontio o Affrica i Dde America heb wlychu'i draed. Ond fedr o ddim neidio. Ac y mae hi yr un fath ym myd anifeiliaid ag ym myd cynghorau — po fwyaf y maen nhw'n mynd, mwyaf ara deg ac afrosgo fyddan nhw. Ac mae'n debyg mai dyna pam nad yw'r beirdd byth yn cysylltu ansoddeiriau fel 'gwisgi' a 'sionc', 'gosgeiddig' a 'llamsachus' efo eliffant. Peth i gywilyddio drosto ydi bod yn ara deg.

Rhai buan, chwim eu troed ac ystwyth eu hadain oedd y duwiau yr oedd meidrolion yr hen fyd yn cenfigennu fwyaf wrthyn nhw — Mercher eu cennad yn symud fel jet ar ei negesau diplomyddol; gyrrwr yr haul ar draws y ffurfafen, yn llachar ddisglair yn lifrai ei swydd yn llywio'r cerbyd fflamllyd ar draws gwagleoedd ysblennydd eangderau'r awyr; Gwynt y Gorllewin yn gyrru ei ddiadelloedd ar hyd y 'llyfnion hafodlasau' yn nyddiau gwyn y gwanwyn, a Gwynt y Dwyrain yn codi o'i ffau i ddryllio llongau'r môr.

Mae'r awch am gyflymder yn dal i lygad-dynnu dynion o hyd, a'r ysfa i gyrraedd yn gynt ac i wneud pethau yn gyflymach sy'n gyfrifol am ddatblygiad dyn o Oes y Cerrig. Nid peth mor ddiweddar yw yr ymhyfrydu yma mewn cyflymder. Hen wraig o un o bentrefi Eryri wedi bod ym Mhwllheli am y pnawn efo'r car a'r ferlen, ac yn dweud fel yr oedden nhw'n dod adref — 'Robat ar 'i draed yn dreifio a'r hen ferlan bach yn walpio dwad nes bod y cloddia yn pasio fel rhubanna.'

Yr oedd miloedd o bobol ar hyd y canrifoedd wedi profi'r un wefr â hi wrth glywed sŵn traed y meirch yn eu cario i ben eu taith, weithiau at lawenydd fel gŵr ifanc yn mynd i'w briodi, weithiau at ddioddefaint fel llanc yn mynd i ryfel, ac weithiau at ddim ond rhith ansylweddol, diaros fel gweision Pwyll yn ymlid Rhiannon, 'a pho fwyaf y lladdai ef ei farch, pellaf fyddai hithau 'e wrthaw ef'.

Tynfa'r ddaear, neu'r gwynt, neu nerth anifail oedd ffynhonnell pob cyflymder. Ond mi newidiodd y stori pan roddwyd dyn mewn peiriant a'i ddatgysylltu oddi wrth yr anifeiliaid a'r duwiau a'r gwynt. Yr oedd posibilrwydd cyflymdra'r peiriant yn ddiderfyn, ac yr oedd dyn wedi mynd yn rhan ohono. Yn hollol wahanol i fod ar gefn ceffyl. Yn gymaint rhan o'r peiriant, yn wir, nes bod marchogion rocedi'r gofod erbyn heddiw yn cychwyn ar eu taith trwy wneud dim ond gorwedd yn llonydd ar wastad eu cefnau a chael eu chwythu i'r entrychion y tu fewn i'r gell ar flaen y grym dychrynllyd sy'n eu hyrddio allan o afael tynfa'r hen ddaear yma...

'Roedd dynion wedi ei hercian hi o le i le am ryw ddeg ar hugain o filoedd o flynyddoedd nes i'r trên cyntaf hwnnw, ar y 26 o Hydref 1892 sgrialu ar hyd y rheiliau ar y cyflymder gwallgof o bedair milltir ar hugain yr awr. Dim ond rhyw gant a hanner o flynyddoedd yn ôl y dechreuwyd addoli cyflymder o ddifri a chodi temlau a llunio credo iddo. Trachwant a chywreinrwydd fu'r ddau uchel offeiriad yn ei wasanaeth. Trafnidiaeth wyllt yn golygu cwsmeriaid bodlon, a hen gywreinrwydd anniwall y natur ddynol am weld pa mor gyflym yr oedd modd mynd heb i'r injian chwythu ei hunan yn gyrbibion allan o fod. Ar ôl darganfod y peiriant petrol i gymryd lle'r injian stêm yn nau a thridegau'r ganrif hon y daeth yr ymdrechion i dorri recordiau a mynd mwy a mwy ar dir a dŵr ac yn yr awyr.

Ym mis Ebrill 1961 aeth y gŵr o Rwsia i'r gofod ar gyflymder o bum mil ar hugain o filltiroedd yr awr, a bellach y mae pellteroedd y bydysawd yn herio dyn i lwybro'i ffordd i'r sêr. Mae'n debyg y bydd eisiau peiriant fydd yn gwneud i'r rocedi presennol edrych fel berfa er mwyn medru symud yn ôl tua 670 o filiynau o filltiroedd yr awr - cyflymder goleuni. Ar y cyflymderau hyn byddai mynd i'r seren agosaf yn daith o ryw bedair blynedd. A phan fydd y dyn hwnnw wedi bod, a'r seren wedi mynd yn fwy na'r byd, mi fydd rhyw fardd yn canu'i glodydd ac yn dweud 'antur enbyd ydyw hon'. Fydd y llinell wedyn ddim yn gweddu chwaith yn ôl pob golwg.

Ond rhag i'r gwyddonwyr a'r sêrffisegwyr fynd yn fwy na llond eu sgidiau, mi fyddai'n beth da iddyn nhw gofio bod ambell i lenor wedi'u trechu nhw ac wedi'i gweld hi ymhell o'u blaenau nhw. Dyna Tegla Davies ym 1925 yn cael Rhys Llwyd i ddod i lawr o'r lleuad i goed y Tyno. "'Does dim byd difyrrach," meddai Rhys, "na llithro i'r ddaear ar belydryn o olau'r lleuad, na dim difyrrach na llithro'n ôl ar belydrau'r ddaear. Mae ffyrdd eraill o fynd yn ôl a blaen, megis neidio ar gwmwl, a neidio wedyn ar y ddaear, ond llithro ar belydryn o oleuni ydi'r ffordd ore os bydd hi'n hollol ddi-gwmwl." A dyna un o'r rhai cyntaf i symud ynghynt na goleuni.

Yr oedd Cynan hefyd wedi meddwi ar gyflymder y Ceffylau Bach, a'r 'wib fel cath i gythraul' yn gyrru ias drwy'i ymysgaroedd. Ond mi newidiodd ei stori pan edrychodd i ganol peirianwaith y Meri-go-rownd a gweld 'y llafurwr lluddedig', a deall:

. . . mai hwn
A'i chwys oedd pris ein cyflymder
Ac mai ar ei olwyn greulon y dibynnai

Ein hwyl a'n miri
Meddyliais y byddai'n well gennyf gael disgyn,
Ond yr oeddym yn mynd yn rhy gyflym.

Pan hyrddiwyd yr angylion gwrthryfelgar oedd wedi herio Duw, o dan arweiniad Satan, i lawr o'r gwynfyd a'u bwrw dros ganllawiau'r nefoedd, buont yn syrthio am naw niwrnod a naw noson nes glanio yn uffern ar wyneb y llyn yn llosgi o dân a brwmstan. Ac efallai mai dal i drio codi wib i fedru dyrchafu o'r fan honno y mae y rhelyw ohonon ni o hyd.

Enwau

Mi eglurodd rhywun pam bod llew yn cael ei alw'n 'llew' trwy ddweud mai am fod Adda wedi ei weld o yn debyg i lew y tro cyntaf iddo fo ddod i gyfarfod ag un wyneb yn wyneb ar un o'r llwybrau diarffordd hynny oedd yng nghyffiniau Gardd Eden rywle tua'r Dwyrain Canol yna. Mae'n debyg nad ydi'r stori ddim yn wir ac nad oes yna ddim sail wyddonol i'r fath ragdybio mytholegol. Achos mae o'n golygu eich bod chi'n credu Llyfr Genesis, a 'does fawr neb yn gwneud hynny erbyn hyn yn ôl pob golwg. Ond beth bynnag fo'r gwir am yr 'Ardd' a'r 'sarff' a'r 'goeden afalau', mae'n wir fod ebychiadau myngus y boblogaeth gyntefig flewog honno fu'n sgyrnygu ar ei gilydd mewn ogofeydd ac hyd bennau'r coed wedi crisialu ac o'r diwedd droi yn eiriau ag ystyr iddynt. Mae'n wir hefyd fod disgynyddion gwareiddiedig y boblogaeth honno wedi colli llawer ohonynt a'u bod erbyn hyn, heb eiriau eto, ar stepiau concrit y tu ôl i farrau heyrn yn cyfarth ar ei gilydd ar draws gwastad o gae bob pnawn Sadwrn.

O dipyn i beth daeth geiriau yn enwau ar bethau a llefydd a phobol. Dweud 'iâr' am iâr a 'llo' am lo a 'dyn' am ddyn bob tro y byddai eisiau cyfeirio atyn nhw. Ac mi weithiodd yn iawn efo'r rhan fwyaf o bethau — iâr ydi 'iâr' a llo ydi 'llo' hyd y dydd hwn. Ond yr oedd yn rhaid i ddynion gael bod yn wahanol yr adeg honno hefyd, ac o ganlyniad 'roedd yn rhaid cael enwau arbennig arnyn nhw, — dweud 'Nebiwcodonosor' am Nebiwcodonosor bob tro y byddai eisiau dweud ei fod o'n dod, neu ddweud mai fo oedd o ar ôl iddo fo basio, ac yn fuan iawn 'roedd hi wedi dod yn

Abram a Job ac Eisac a Jacob, heb sôn am rai fel Methusela a Melcidesec a Maharsialalhasbas. Felly yr arhosodd pethau am ganrifoedd, a dyn yn rhoi ei enw ar beth oedd yn eiddo iddo wedyn, a'r hyn oedd yn eiddo iddo yn rhoi ei enw arno yntau yn ei dro.

Cafodd miloedd o bethau eu henw yn y ffordd yma, o Oel Morus Ifans i Fflat Huw Puw. Dyna oedd y ffordd o enwi siopau hefyd mewn rhai ardaloedd — Siop John Huws a Siop John Robaits a Siop Lias Jones. Efo enwau fel y ddau gyntaf lle gellid creu amwysedd a allai arwain i anhawster ynglŷn ag enwau'r perchenogion, y cwbwl oedd eisiau ei wneud i greu eglurder oedd troi'r ymadrodd y tu ôl ymlaen a dweud John Robaits y Siop neu John Huws y Siop rhag ofn i rywun eu camgymeryd am ryw John Huws neu John Robaits arall.

Mae'n rhaid bod pobol cefn gwlad yn fwy swil yr adeg honno hefyd na phobol galetach yr ardaloedd diwydiannol, achos pan oedd rhai o bennau busnes Pen Llŷn yn mynd i Bwllheli i agor siop, mynd ag enwau'u cartrefi efo nhw y bydden nhw — Pwlldefaid, Cae Rhydderch, Hirwaun. Ac yr oedd yr un peth yn wir am drafnidiaeth gyhoeddus blynyddoedd dechrau'r ganrif hefyd. Yn ardaloedd y chwareli, — Moto Robat Huws, Moto Wan Wilias a Moto Bob John. Ond yn Llŷn, Moto Tir Gwenith, Moto Tocia a Moto Caelloi — enwau ffermydd a chartre'r moduron.

Mae rhai pobol o hyd yn swil o ddweud eu henwau — pobol heb fagu'r hunanhyder sy'n angenrheidiol i ddweud wrth rywun diarth na welsoch chi erioed mohono — 'hwn a hwn neu hon a hon ydw i'. Ac er nad oes rhinwedd arbennig mewn bod yn fodlon i gyhoeddi'ch enw o bennau'r tai, nid oes angen ei guddio chwaith. Eto mae yna ryw ias o anesmwythyd mewn gorfod cyhoeddi eich enw eich hun. Y gwrid ar ruddiau a'r swildod yn llygaid a'r petruso yn llais llawer o blant bach y flwyddyn gyntaf pan fyddai eisiau iddynt ddweud eu henwau er mwyn iddynt gael eu cofrestru i fynd yn rhan o'r sefydliad hwnnw sy'n cael ei alw yn gyfundrefn addysg. Rhai eisiau cael eu cydnabod yn unigolion er eu mwyn eu hunain ydyn nhw — ar wahân i'w henw. Crydurïad. Ychydig wyddan nhw na fydd eu henw druan nhw yn golygu fawr fwy na lebal hwylus i'w rhoi nhw yn y lle iawn yn nhrefn yr wyddor. Hwythau wedi meddwl am funud mai dilyniant oedd yma o'r cyfnod gwynfydedig hwnnw pan fyddai cymaint o bobol yn gofyn — 'Hylô. A hogyn bach pwy 'dach chi?'

Ond mae'n werth bod yn amyneddgar ac yn oddefgar, achos mi all ysgolion addysg a grisiau gwybodaeth eu harwain i'r sefyllfa hapus honno lle gallan nhw gael cuddio y tu ôl i'w henw a bod yn neb. Ysgrifennwch lythyr i un o swyddogion, neu o weinidogion Llywodraeth ei Mawrhydi, ac os bydd yn llythyr yn canmol neu yn gwerthfawrogi, mi gewch ateb caredig o dan law y dyn mawr ei hunan. Ond os digwydd i chi fod yn un o fyddin y protestwyr a'r gwrthwynebwyr, mi gewch gerdyn ymhen ychydig o ddyddiau, heb enw neb arno, yn dweud bod eich gohebiaeth wedi ei derbyn. A chwithau yn eich diniweidrwydd yn dychmygu gweld y dyn mawr yn agor y drws i'r postman ac yn gafael yn ei bentwr llythyrau, a'ch cenadwri chwithau yn eu mysg, ac yn ei gwadnu hi yn ei ôl am ei ystafell i chwilio am ei gyllell boced i agor eich llythyr chi a darllen ei gynnwys. O dan deimlad dwys. Druan ohonoch chi. Ymhen hir a hwyr, mi gewch lythyr ffurfiol oeraidd yn egluro eich camgymeriad i chi ac yn awgrymu yn foesgar y byddai'n ddoeth i chi ymgydnabyddu â'r ffeithiau. A'r enw ar y diwedd? Y dyn mawr oedd mor gyfeillgar efo chi amser fotio? Nage — L.M. David Morrison. Chwithau wedyn yn rhoi traed dani hi drannoeth i egluro'r sefyllfa mewn ateb i lythyr Mr L.M. David Morrison, a'i gyfarch, wrth gwrs, wrth ei enw. A'i freintio â'ch rhesymeg ddisgleiriaf, a'ch perswâd meddalaf a'ch parch teilyngaf. A disgwyl ateb mor eiddgar ag y bu Mam 'Deio bach' yn disgwyl iddo anfon llythyr. Cydnabyddiaeth ar gerdyn. Y rhawg — llythyr oddi wrth T.D. Smith yn cyfeirio eich sylw at ateb L.M. David Morrison. Chwithau, gan gadw eich urddas, yn ysgrifennu eto, ychydig yn ffroenuchel ond yn ffurfiol ac yn barchus. Cydnabyddiaeth ar gerdyn. Ac ymhen amser, llythyr yn dweud fod y dyn mawr wedi egluro popeth a bod yr ohebiaeth bellach ar ben. 'Yr eiddoch yn gywir, John T. Jones.' A lle'r oedd yr wynebau bach dienw yn edrych arnoch chi o'u desgiau yn un ar ddeg oed, mae'r enwau bach diwyneb yn edrych arnoch chi o anwybod eu dirgelwch, yn ddi-oed dragwyddol.

O dipyn i beth mi aeth siop John Robaits a Siop John Huws a Siop Lias Jones, yn Siop Sali a Siop Ceti a Siop Cledwyn. A gwerth yr enw yn dechrau gwanio. Erbyn hyn mae hyd yn oed yr enw wedi mynd. A'r cownter. A'r cwbwl sydd ar ôl ydi basged weiran ac anialwch o nwyddau a giât mochyn yn y pen draw a geneth ddigon clên yn pwyso botymau ac yn canu clychau. Pwy oedd hi? Beth oedd 'i henw hi, felly? Wn i ddim yn y byd. Wnes i ddim meddwl chwaith. Na meddwl siop pwy oedd hi am wn i.

Y Pilar Mawr

Wyddoch chi beth ydi 'pilar'? Na? Wyddoch chi beth ydi 'ponc'? Na? Wel mae'n anodd gwybod lle i ddechrau efo chi yn tydi? Wel mi wyddoch beth ydi chwarel? Ia, un o chwareli llechi Dyffryn Nantlle. Tyllau mawr cegagored yn mynd i lawr i waelodion y ddaear fesul step ar ôl step oedd patrwm y chwareli hynny, a'r bonc oedd y gwastad ar ben y step bob tro. Darn o graig yn ymestyn ar wyneb y pared oedd y 'pilar', yn droedfeddi o led ac yn llathenni o hyd. Rhywbeth fel colofn gynhaliol ar wyneb y graig. A dyna'n union oedd y Pilar Mawr ar Bonc Nedw yn chwarel y Cilgwyn. Bargen Richard Williams a'i bartner oedd un ochor iddo, a bargen Dafydd Morus a'i bartner yr ochor arall. Yr oedd Richard Williams yn gapelwr selog, yn Galfin braiddgyffwrdd, ac yn magu cyw pregethwr a ddaeth yn enwog yn ddiweddarach. Tipyn o rafin oedd Dafydd Morus, ffond o'i beint pan oedd peint yn wenwyn ac yfed yn bechod. Ond byddai Richard Williams yn deud bod Dafydd yn greigiwr 'ffyrs-clas'.

Syniad Dafydd oedd saethu'r Pilar Mawr. I fod yn dechnegol am funud, y sefyllfa oedd fod y Pilar wedi cael ei adael rhwng y ddwy fargen am fod haen o ithfaen o boptu iddo a bod y ddwy fargen wedi disgyn tua phum llath a mwy a gadael iddo aros fel palis rhyngddynt. 'Roedd Richard Williams yn ddigon bodlon gadael i bethau fod a derbyn y Pilar fel rhan o Drefn Rhagluniaeth. 'Roedd o'n credu mewn Cyfiawnhad trwy Ffydd, ac Athrawiaeth yr Iawn, a'r Pechod Gwreiddiol, a mater bach felly oedd credu fod y Pilar yn rhan naturiol o drefn bodolaeth ac mai'r unig beth oedd eisiau i chwarelwr cydwybodol o Fethodus ei wneud oedd 'gweithio a gadael iddo'.

Ond gwahanol iawn oedd agwedd Dafydd Môr. "Eisio symud yr hudlach diawl sydd. Powdwr yn 'i din o. A meddyliwch faint o gerrig rhywiog fasa'n dwad o'i grombil o." Ac er gwaethaf cymysgu Dafydd rhwng anatomi ieir ac anatomi'r hil ddynol, 'roedd ganddo fo bwynt. Difaterwch cenedlaethau oedd yn peri ei fod wedi cael ei adael nes bod ei fôn yn deirllath o hyd ac yn llathen a hanner o ddyfn, a'i swmbwl yn peri fod y ddwy fargen cyn belled oddi wrth ei gilydd ag yw y Gogledd o'r De mor bell ag yr oedd trafnidiaeth wagenni yn y cwestiwn.

"Eisio'i chwythu o sy', Richard Wilias," meddai Dafydd a fflach y gweledydd yn ei lygad.

"Wn i ddim, wn i ddim Defi," oedd yr ateb. "Yr ochor yma iddo fo yr oedd 'y nhad yn gweithio. A'r ochor yna yr oedd dy dad yn gweithio pan ddois i yma yn hogyn."

Y tro nesaf y daeth y Stiward Bach heibio, mi fentrodd Dafydd, "Meddwl, Robat Jones, — meddwl be fasa i ni saethu'r hen bilar 'ma ac agor y ffordd rhwng y ddwy fargan? Mi fydda'r wagenni yn rhedag fel ruban a mi fydda' 'na gerrig am fisoedd o'i grombil o."

Rhyw hymio a haio wnaeth y Stiward Bach. Gweld y mateision yr oedd propaganda Dafydd o'u plaid, a gweld ar yr un pryd y peryglon a'r ofnau oedd yn poeni Richard Williams.

"Beth petai'r ergyd yn peri iddo fo hollti yn 'i ganol ac i'r brig ddwad i lawr a chladdu'r cwbwl?" meddai.

"Na," meddai Dafydd, a symud i ddangos lle'r oedd sawdl y pilar ar wastad y bonc yn cysylltu â wyneb y graig, "andros o glec yn y fan yma ylwch. A'r un fath yr ochor arall ac mi chwythith 'i sawdl o allan yn glir dros ddibyn y bonc, ac mae 'na ddigon o faw a rwbal o danon ni i'w ddal o i gyd."

Mi soniodd y Stiward Bach wrth Mistar Griffith, ac mi ddaeth y Mawr ei hun i lawr i ymgynghori. Cafwyd caniatâd. Cochwyd cryn dipyn ar y llwybyr oedd rhwng y ddwy fargen o droed y Pilar i'r dibyn wrth i'r ddau symud o'r naill ochor i'r llall i fwrw'r draul, i fesur, i farcio — ac o'r diwedd i dyllu. Ebillion hirion o'r efail, a sŵn morthwylion yn curo arnyn nhw wrth i'r tyllu o'r ddwy ochor fynd yn ei flaen. Ac o'r diwedd:

"Mi fydd yn ddydd Gwenar fory," meddai Dafydd, "mi bowdrwn ni a thanio dri o'r gloch." Cytunodd Richard Williams fel arfer ac aeth i'r cwt powdwr cyn cinio ddydd Gwener a dod yn ôl dan ei faich. Gadawodd Dafydd i Richard bowdro a chaledu ac yntau yn pacio ar ôl i Richard osod y ffiwsus hefyd.

Yr oedd popeth yn barod yn fuan ar ôl hanner awr wedi dau, ac yn syth ar ôl i'r ffeiarman weiddi 'Ffeiar' yr oedd pob ffiwsan yn nhroed y Pilar yn mud losgi ac yn dechrau rhedeg. Cythrodd pawb i'r cwt-mochal-ffeiar fel arfer i wardio a disgwyl a bod yn barod i gyfrif. Dim ond pedair o fân ergydion o'r ponciau eraill oedd i'w disgwyl cyn y danchwa fawr oedd yn mynd i chwalu'r Pilar.

Daeth y ffrwydrad cyntaf o'r Bonc Isa'. Pwff o fwg glas a sŵn cerrig yn syrthio. Yr ail hefyd o'r Bonc Isa' — ychydig yn fwy. Ned Meri Ann a Now Bach. Y trydydd o ochor bella'r Bonc Bach — Evan Morgan. A'r bedwerydd — rhyw ffatan bach fel ergyd gwn clatsh o'r Bonc Ucha'. 'Wil Êl yn saethu baw,' meddai rhywun yn y distawrwydd disgwylgar yn y caban-mochal-ffeiar. 'Roedd pawb drwy'r gwaith yn gwybod bod y Pilar yn mynd i'w chael hi y pnawn yma, ac yr oedd disgwyl yn y chwareli eraill hefyd — i lawr hyd at Dwll Coch Dorothea. Pum munud i dri. Unrhyw funud bellach. Digon o amser hefyd cyn i'r corn heddwch ganu ar drawiad tri. Ambell ergyd i'w chlywed o'r pellter. Pedwar munud. Tri munud — a'r distawrwydd yn llethol.

"Ma' hi'n hir," meddai Dafydd yn gwbl ddianghenraid. Crawc brân yn creu eco yn y twll. Oen yn brefu yn rhywle ar y mynydd. Sŵn dŵr yn diferu ar graig. A sŵn stêm yn colli o'r injian fawr ar ben y twll. A fawr ddim arall. Nes i gorn Penbryn ganu'r heddwch am dri o'r gloch. A Phen'r Orsedd a Dorothea a'r Gloddfa Glai a phawb. Pawb ond y Cilgwyn.

Feddyliodd Dafydd Môr erioed y gallai amser lusgo mor hir.

"Ma hi'n bum munud wedi tri," meddai Richard Williams, "awn ni allan."

Fesul tipyn daeth pawb oedd yn mochal-ffeiar drwy'r gwaith allan yn betrus a symud yn ofalus i gyfeiriad y gwastad gyferbyn â'r Pilar Mawr yr ochor arall i'r twll ar Bonc Nedw. Chanodd y corn heddwch ddim. Daeth y Mawr ei hun o'r offis ac i lawr at y dynion, a'i holl awdurdod yn dda i ddim byd lle'r oedd pwysi o bowdwr heb ffrwydro yn sodlau'r graig.

Trefnu gwyliadwriaeth — a Dafydd am fynnu aros drwy'r nos.

"Dwyawr ar y tro," meddai'r Mawr. "Drefnwn ni ddwsin a mi fydd hynny yn bedair awr ar hugain. A mi gawn ni ddwsin arall i ddwad yma pnawn fory. A fydd 'ma ddim gweithio bora fory. Lwc 'i bod hi'n Sadwrn."

Fe arhosodd Dafydd a Richard Williams ill dau am y ddwyawr cyntaf.

"Biti," meddai Richard Williams tua chwech o'r gloch.

"Ia, biti ar y diawl hefyd..."

"Dafy-ydd..."

Chysgodd o ddim winc, dim ond gwrando ar Elin yn chwyrnu nes i'r wawr lwydo'r ffenest iddo fo gael codi. Dydd

Sadwrn cyhyd ag un o ddyddiau'r Creu, ac er iddo gerdded ôl a blaen i'r gwaith drwy'r dydd, ddigwyddodd dim byd. 'Roedd nos Sul yn hwy na nos Sadwrn. Nid bod ei enw da o'i hun fel creigiwr wedi diflannu; nid bod Richard Williams wedi ei siomi; nid y gallai dyfodol darn o'r chwarel fod yn y fantol. Nid ystyriaethau felly oedd yn poeni Dafydd wrth iddo orwedd trwy uffern effro nos Sul. Ei fethiant, ei fai, ei fychander oedd yn ei erlid fel helgwn Annwn.

Pan oedd yr Ysgol Sul ar ei thraed newydd orffen adrodd y Deg Gorchymyn a chyn deud Gras ein Harglwydd y crynodd ffenestri'r capel. Mi ddwedwyd y Gras fel cath i gythral a phawb yn gwybod bod y Pilar Mawr wedi ei chwythu. A 'doedd neb yn cofio gweld ponciau'r gwaith yn llawn o bobol yn eu dillad gorau. 'Cofia gadw yn sanctaidd...' neu beidio, yr oedd y demtasiwn yn ormod. 'Roedd o i lawr yn un sglefr dros ymyl y bonc a lle mawr braf rhwng y ddwy fargen. Cerrig am fisoedd.

Fe gafodd Richard Williams jeli coch i de. Pan aeth o i'r capel y nos 'roedd ei 'sgidiau o'n gwichian mwy nag arfer i lawr y pasej ac mi arhosodd am eiliad wrth basio sêt Elin Morus a gweld bod Dafydd ym mhen draw'r sêt yr ochor bella iddi hi. 'Pharodd ei droedigaeth o ddim chwaith. Dim ond am ryw dri Sul.